莎莉仁者

緣

星云

同文曾助九州同但惜方言

語未通音韻精研兼善教

普通話裡建奇功

莎莉世姪　趙樸初

中國著名詩人和書法家，中國人民政治協商會議
全國委員會副主席趙樸初先生賦詩

郵政編號

前 言

一. 對於已具有一定中文知識的人仕來說，學普通話
並不難，因為字都認識，意義也懂，也會講，只
是講得是自己的本土方言，所以只要掌握普通話
的發音方法，就能學會講普通話。

二. 拼音不僅是學習普通話的基礎，而且學會了拼音
可以具有無師自學的能力，不懂拼音的人學普通
話，憑模仿，靠記憶，萬一忘了必須請教老師，
但是學會了拼音就可以借助於字典，根據註音發
出準確之音。

三. 本書適用於以下的人仕：
   - 學普通話是為了解決語言溝通之隔閡，只要求
   "能聽會講"，見到拼音能發出準確之音，您
   只要學本書第一部分就能達到要求。
   - 學普通話不僅要 "能聽會講"，還要能給漢字
   註上拼音(如老師)則需學全書。

四. 寫拼音並不難，本人認為 "能唸準就能寫"，故
應先學會拼音， 把字唸準再學 "寫"。 與傳統
式 "邊學拼音邊寫拼音" 之方法相比較，事半功
倍。

五．聲調、輕聲不易掌握，本人有獨特之教法，易學、
行之有效，特在本書內介紹給各位，希望對您有所
幫助。

六．多年教學及培訓過程中，發現不僅是學生，甚至老
師都未能掌握與普通話有關的語言知識，故特於本
書第三部分簡要地向您介紹必須掌握的基本語言知
識以及澄清普通話教學中常出現的問題。

七．拼音雖枯燥，但本書所選用之詞例既實用又有趣，
相信您不會感到沉悶，學完此書，不僅學會拼音，
還能學會很多的成語、常用成語、 格言等日常用
語等。

八．本書用繁體字解釋，課文繁、簡體字對照(簡體用斜
體)，既可學拼音又能熟悉簡體字， 對已有繁體字
基礎的人仕來說，多看也能助您掌握簡體。

九．本書配有標準的錄音帶，書中又詳細解釋學習方法
和要點，故此書也能作自學之用。

李莎莉

漢語拼音

李莎莉編著

李莎莉語言中心出版

目 錄

I. 學拼音

II. 寫拼音

III. 語言基本知識

附錄

I 學拼音

學拼音部份是基礎，請務必用心學習。

錄音帶 1. 課文

錄音帶 2. 練習答案　第1至19課
　　　　　　　　及 第23至24課

1

一聲母	b p m	雙唇音
	f	唇齒音

一單韻母　a o e

一聲調

1. 聲母 b p m f

　　發聲母時，要讀得較輕較短。

b p m f

2. 單韻母 a o e

　　發單韻母時，嗓子用力，聲音響亮。

a o e

3. 拼音

① 在普通話裡，一個音節代表一個漢字的發音。

② 一般來說，漢字的音節是由聲母、韻母和聲調
　　構成的。

③ 拼音就是把聲母和韻母快速地拼讀成一個音。

　　　　開始練習拼音的時候，我們可以先唸聲

母，再唸韻母，然後唸成一個音。

$$b - a \rightarrow ba$$
$$p - o \rightarrow po$$
$$m - a \rightarrow ma$$
$$f - a \rightarrow fa$$

4. 聲調

① 普通話裡有四個聲調：就是第一聲(陰平聲)、
   第二聲(陽平聲)、第三聲(上聲)和第四聲(去
   聲)。

② 四個聲調分別以四種符號 ˉ ˊ ˇ ˋ 表示，這
   種符號就叫"調號"。

③ 聲調表示發音時音高低升降的變化，音域範圍
   介於歌唱中 do 到 so 之間。

第一聲	第二聲	第三聲	第四聲
ˉ	ˊ	ˇ	ˋ
高平調	中升調	降升調	全降調
so→so	mi→so	re→do→fa	so→do

聲調高低示意圖

第一聲唸起來聲音又高又平，稱高平調，

唱起來就好像5→5

ā ō ē

第二聲唸起來聲音從中往上升，稱中升調，

唱起來就好像3→5

á ó é

第三聲唸起來聲音先降下來再升高，稱降升調，

唱起來就好像2→1→4

ǎ ǒ ě

第四聲唸起來聲音從高處一直降下來，稱全降調，

唱起來就好像5→1

à ò è

四個聲調連着唸

先唱	5→5	3→5	2→1→4	5→1
	ā	á	ǎ	à
	ō	ó	ǒ	ò
	ē	é	ě	è

④ 普通話裡，有些音節唸得又輕又短，叫做輕
聲，輕聲不標調號。(詳見第18課 P.113)

⑤ 一個漢字的發音，除了聲母和韻母之外，必需加以聲調。同樣的聲母和韻母，由於聲調不同，意義也有所不同，從以下的例子中可以明顯地知道聲調的重要性。

注意：－唸聲調就好像唱歌一樣，應唱 5 就不能唱 4，51 就不能唱 52，千萬別走音。

－所謂正音，就是音唱準，不走音，音自然就正了。

－開始練習聲調時，不妨用手在空中或用手指在桌上劃不同聲調符號 － ˊ ˇ ˋ 的圖形，邊劃邊唸"指揮自己"，務必唱準。

$$m - a \rightarrow ma$$

mā	má	mǎ	mà	ma
媽妈	麻	馬馬	罵罵	嗎嗎

$$b - a \rightarrow ba$$

bā	bá	bǎ	bà	ba
八	拔	靶	爸	吧

$$p - o \rightarrow po$$

pō	pó	pǒ	pò
坡	婆	叵	破

f - a → fa

f̄a　fá　fǎ　fà
發发　詞罰　法　髮发

第1課　練習

[1] 普通話裡，一個音節代表一個漢字的發音，通常一
個音節由_____ 、_____和_____
三部分組成。

[2] 普通話有四個基本聲調，分別用四個符號來表示：
第一聲_____ 、第二聲_____ 、第三
聲_____ 、第四聲_____ 。

[3] 第一聲唱起來好像_____ ，第二
聲_____ 、第三聲_____ 和第四
聲_____ 。

[4] 聲調極重要，同樣音節由於聲調不同，意義也不
同。請練習一下以下四聲。

先唱一下　5→5　　3→5　　2→1→4　　5→1

$$p - a \to pa$$

pā	pá	pǎ	pà
啪	爬	一	怕

$$m - o \to mo$$

mō	mó	mǒ	mò
摸	模	抹	莫

[5] 請大聲唸並寫上漢字(短句練習)

　　請先唸聲母再唸韻母然後發出帶有聲調的一個音。(以下所有練習都如此,不再重複。)

1. Bàba pà māma.

2. Bóbo pà pópo mà.

第1課　練習答案

[1] 普通話裡,一個音節代表一個漢字的發音,通常一個音節由＿＿聲母＿＿、＿＿韻母＿＿和＿＿聲調＿＿三部分組成。

[2] 普通話有四個基本聲調，分別用四個符號來表示：

第一聲＿＿＿＿＿ˉ＿＿＿、第二聲＿＿＿＿＿ˊ＿＿＿、第三

聲＿＿＿＿＿ˇ＿＿＿、第四聲＿＿＿＿＿ˋ＿＿＿

[3] 第一聲唱起來好像＿＿＿＿＿5→5＿＿＿＿＿，第二

聲＿＿＿3→5＿＿＿、第三聲＿＿2→1→4＿＿和第四

聲＿＿＿5→1＿＿＿。

[4] 聲調

先唱一下　5→5　　3→5　　2→1→4　　5→1

p‑a → pa

pā　　pá　　pǎ　　pà
啪　　爬　　一　　怕

m‑o → mo

mō　　mó　　mǒ　　mò
摸　　模　　抹　　莫

[5] 短句練習

1. Bàba　pà　māma.
   爸爸　怕　媽媽媽。

2. Bóbo　pà　pópo　mà.
   伯伯　怕　婆婆　罵罵。

2

－聲母　　d t n l　舌尖中音

－單韻母　i u ü

5. 聲母 d t n l

　　　　　d t n l

6. 單韻母 i u ü

　　　　　i u ü

① i 在標調號時，先要去掉 i 上的點，然後再標上
　調號。

② a o e i u ü 六個單韻母，它們發音時，嘴的形狀
　由大到小。

　　　　　a o e i u ü

7. 聲調練習

　　　　　d－u → du

　　　dū　　dú　　dǔ　　dù
　　　督　　毒　　賭賭　　度

$$t - i \rightarrow ti$$

tī	tí	tǐ	tì
梯	題题	體体	替

$$n - i \rightarrow ni$$

nī	ní	nǐ	nì
妮	尼	你	溺

$$l - u \rightarrow lu$$

lū	lú	lǔ	lù
嚕噜	盧户	魯魯	路

8. 拼音練習

fā dá → fā dá　發发 達达

lǚ lì → lǚ lì　履歷历

lǐ fà → lǐ fà　理髮发

mì mì，mì mì　秘密

9. 分辨練習

túdì	tǔdì
徒弟	土地

fúlì	fùlì
福利	富麗丽

10. n 和 l 的區分

有些人對發聲母 n 和 l 有些困難，分不清他們發音上的區別，實際上，他們的區別在於：n 是鼻音，發音時氣流從鼻腔裡出來；而 l 不是鼻音，發音時氣流從舌頭兩邊出來。

lú	爐炉	nú	奴	nú-lú
nǐ	你	lǐ	李	nǐ-lǐ
nǔ	女	lǔ	呂	nǔ-lǔ
nà	娜	là	辣	nà-là

分辨練習：

núlì	nǔlì
奴隸隶	努力
nàli	nǎli
那裡里	哪裡里

11. 普通話音節表

① 普通話裡總共約有四百個音節，在每一課後我們把已經學到的聲母和韻母所組成的音節練習一下。

② 開始時，可先發聲母，再發韻母，然後很快地拼成帶有聲調的一個音，熟練後要求一看到音節就能馬上發出帶有準確聲調的一個音來(稱直呼音節)。

請從上往下唸

聲母＼韻母	a	o	e	i	u	ü
b	bā	bō	-	bǐ	bù	-
p	pā	pó		pí	pǔ	
m	má	mō	me	mì	mǔ	
f	fá	fó	-	-	fù	-
d	dǎ	-	dé	dī	dū	-
t	tǎ	-	tè	tí	tú	-
n	nà	-	ne	nǐ	nǔ	nǚ
l	là	-	le	lǐ	lù	lǚ

請注意：

— 由於您已認識中文字，當中文字和拼音同時出現
  時，恐怕您已習慣看字而不看拼音，故在作音節
  練習時，只寫拼音不寫字以助您集中學好拼音。

— 掌握發音後，不妨再看附有中文字的音節表，此
  表在每課練習中列出。

第2課　練習

[6] 普通話音節表11

　　漢字成千上萬，但基本音節約有四百個，加上四個聲調及輕聲，總數不足兩千，可見同音異字甚多，表內所例舉的字只是一個同音字而已。

聲母＼韻母	a	o	e	i	u	ü
b	bā八	bō波	-	bǐ筆笔	bù部	-
p	pā趴	pó婆	-	pí皮	pǔ普	-
m	má麻	mō摸	me麼么	mì秘	mǔ母	-
f	fá罰罚	fó佛	-	-	fù父	-
d	dǎ打	-	dé德	dī低	dū督	-
t	tǎ塔	-	tè特	tí提	tú圖图	-
n	nà那	-	ne呢	nǐ你	nǔ努	nǚ女
l	là辣	-	le了	lǐ李	lù路	lǚ呂

[7] 四聲練習

　　　　　5 - 5　　　3 - 5　　　2 - 1 - 4　　　5 - 1　　　兩次
　　　　　ā　　　　　á　　　　　ǎ　　　　　à　　　　　兩次

[8] 請大聲唸並寫上漢字(詞組練習)

　　　　dìtú　　　　　　　　　fūfù

　　　　pífū　　　　　　　　　dúlì

mílù   bìmù

dǎpò   tímù

[9] 請大聲唸並寫上漢字(短句練習)

　　1. Nǐ è ma?

　　2. Tā dú fǎlǜ, mùdì fādá.

　　3. Tā dìdi bǐ tā pòlì dà.

　　4. Nǐ de fùmǔ fāfú le.

第2課　練習答案

[7] 四聲練習

5 - 5	3 - 5	2 - 1 - 4	5 - 1	兩次
ā	á	ǎ	à	兩次

[8] 詞組練習

dìtú　　　　　fūfù
地圖图　　　夫婦

pífū　　　　　dúlì
皮膚　　　　獨独立

mílù　　　　　bìmù
迷路　　　　閉闭幕

dǎpò　　　　　tímù
打破　　　　題题目

[9] 短句練習

1. Nǐ è　　ma?
   你 餓饿 嗎吗 ?

2. Tā dú　fǎlù, mùdì fā　dá.
   他 讀读 法律，目的 發发 達达。

3. Tā dìdi bǐ tā pòlì dà.
   他 弟弟 比 他 魄力 大。

4. Nǐ de fùmǔ fāfú　le.
   你 的 父母 發发福了。

3

12. 單韻母 ê

　　發 ê 音時，嘴形與發 e 音相似，但嘴張大些，舌根也不必像發 e 音時那樣抬起接近軟腭，只要把舌頭平伸就行了。

ê

13. 複韻母 ai ei ao ou

① 以上四個複韻母是由兩個單韻母複合而成。

② 發音方法是先發第一個韻母，然後很快地滑向後一個韻母，發出一個音來。

例如：　a - i → ai

③ 複韻母 ei 中之 e 實際上是 ê，發音時請注意。

ai　ei　ao　ou

④ ou 與 o 之區別

　　發 o 時，嘴張得較大較圓；發 ou 時，嘴較平較自然。

ōu - ō   pōu - pō   móu - mó
歐歐 噢   剖 坡   謀謀 磨

14. 聲調練習

b - ai → bai

bāi   bái   bǎi   bài
掰   白   百   拜

f - ei → fei

fēi   féi   fěi   fèi
飛飞   肥   翡   肺

m - ao → mao

māo   máo   mǎo   mào
貓   毛   鉚铆   貿贸

l - ou → lou

lōu   lóu   lǒu   lòu
摟搂   樓楼   簍篓   漏

15. 拼音練習

mǎi 買买   mài   賣卖 → mǎimai 買买賣卖

pǎo bù → pǎobù 跑步

pèi fú → pèifú 佩服

tài dù → tàidù 態态度

16. 分辨練習

mĕilì   méilĭ
美麗丽   沒理

méimao   mĕimào
眉毛   美貌

17. 普通話音節表

請由上往下唸

聲母 ＼ 韻母	ai	ei	ao	ou
b	bǎi	bĕi	bào	-
p	pāi	péi	pǎo	pōu
m	mǎi	mĕi	māo	móu
f	-	féi	-	fŏu
d	dài	dĕi	dào	dōu
t	tài	-	tào	tóu
n	nǎi	nèi	nǎo	nòu
l	lái	lèi	lǎo	lóu

第3課　練習

聲母＼韻母	ai	ei	ao	ou
b	bǎi 百	běi 北	bào 報报	-
p	pāi 拍	péi 陪	pǎo 跑	pōu 剖
m	mǎi 買买	měi 美	māo 貓	móu 謀谋
f	-	féi 肥	-	fǒu 否
d	dài 戴	děi 得	dào 到	dōu 都
t	tài 太	-	tào 套	tóu 頭头
n	nǎi 奶	nèi 內	nǎo 腦脑	nòu 耨
l	lái 來来	lèi 累	lǎo 老	lóu 樓楼

[11] 四聲練習

      5 - 5   3 - 5   2 - 1 - 4   5 - 1   兩次

       ā   á   ǎ   à   兩次

[12] 請大聲唸並寫上漢字(詞組練習)

      dàodé   dédào

        fēifǎ   móulì

[13] 請大聲唸並寫上漢字(分辨練習)

       mèilì   méilì

fèilì   fēilǐ

[14] 請大聲唸並寫上漢字(句子練習)

1. Pópo ài dǎpái, bàba, māma péi tā dǎ.

2. Mèimei dǎ de hǎo, tàidù bù hǎo, bàba mà

tā.

3. Mèimei bù fú, bào le tā de dà féi māo pǎo

le.

4. Mèimei pǎo le, dōu bù dǎ le.

第3課　練習答案

[11] 四聲練習

5-5	3-5	2-1-4	5-1	兩次
ā	á	ǎ	à	兩次

[12] 詞組練習

dàodé   dédào
道德   得到

fēifǎ   móulì
非法   牟利

[13] 分辨練習

mèilì   méilì
魅力   没力

fèilì   fēilǐ
費费力   非禮礼

[14] 句子練習

1. Pópo ài dǎpái, bàba, māma péi tā dǎ.
   婆婆 愛爱打牌，爸爸、媽媽媽媽陪 她 打。

2. Mèimei dǎ de hǎo, tàidù bù hǎo, bàba mà
   妹妹 打 得 好，態态度不 好，爸爸 罵罵
   tā.
   她。

3. Mèimei bù fú, bào le tā de dà féi māo pǎo
   妹妹 不 服，抱 了 她 的 大 肥 貓 跑
   le.
   了。

4. Mèimei pǎo le, dōu bù dǎ le.
   妹妹 跑 了，都 不 打 了。

4

一 聲母　g　k　h　舌根音
　　　　　　　j　q　x　舌面音
二　j　q　x　與　ü　相拼規則

18. 聲母　g k h 和 j q x

　　　　g　k　h　j　q　x

19. 聲調練習

　　　　　　g - u → gu

　　gū　　gú　　gǔ　　gù
　　姑　　骨　　古　　顧顾

　　　　　　k - e → ke

　　kē　　ké　　kě　　kè
　　科　　咳　　渴　　克

　　　　　　h - ai → hai

　　hāi　　hái　　hǎi　　hài
　　嗨　　孩　　海　　害

20. j q x 與 ü 相拼規則

　　　當聲母 j q x 與韻母 ü 或由 ü 開頭的複韻

母相拼時，ü 上兩點要省略，但仍發 ü 音，換言
之，當你見到 j q x 後面的 u 要發 ü 音。

$$j\text{-}ü \rightarrow ju$$

jū	jú	jǔ	jù
居	菊	舉举	聚

$$q\text{-}ü \rightarrow qu$$

qū	qú	qǔ	qù
區区	瞿	取	去

$$x\text{-}ü \rightarrow xu$$

xū	xú	xǔ	xù
虛	徐	許许	續续

21. 拼音練習

kā fēi → kāfēi   咖啡

hào mǎ → hàomǎ   號号碼码

bì xū → bìxū   必須须

lì kè → lìkè   立刻

22. 分辨練習

gǔlì	gūlì
鼓勵励	孤立

jùlí   jǔlì

踞離帝   鄂恙例

23. 普通話音節表

請由上往下唸

韻母 聲母	a	e	u	ai	ei	ao	ou
g	gà	gè	gǔ	gǎi	gěi	gào	gǒu
k	kǎ	kě	kū	kāi	kēi	kào	kǒu
h	hā	hē	hú	hái	hēi	hǎo	hòu

第4課　練習

[15] 普通話音節表23

韻母 聲母	a	e	u	ai	ei	ao	ou
g	gà 尬	gè 各	gǔ 古	gǎi 改	gěi 給给	gào 告	gǒu 狗
k	kǎ 卡	kě 可	kū 哭	kāi 開开	kēi 尬	kào 靠	kǒu 口
h	hā 哈	hē 喝	hú 湖	hái 孩	hēi 黑	hǎo 好	hòu 厚

[16] 四聲練習

	5-5	3-5	2-1-4	5-1	一次
	ā	á	ǎ	à	兩次

[17] 請大聲唸並寫上漢字(詞組練習)

　　　　lājī　　　　xùqǔ

　　　　pāimǎ　　　　pǎobù

[18] 請大聲唸並寫上漢字(分辨練習)

　　　gūdú　　　　kǔdú

　　　kāikǒu　　　　gǎikǒu

[19] 請大聲唸並寫上漢字(短句練習)

1. Nǐ tàitai hǎo ma?

2. Tā de bàogào māma hūhu.

3. Tài kě le, qù kǎlā OK hē bēi kělè, hǎo ma?

4. Tā méi gūfù fùmǔ de gǔlì, kèkǔ nǔlì,

hòulái fā le dá.

第4課　練習答案

[16] 四聲練習

| 5 - 5 | 3 - 5 | 2 - 1 - 4 | 5 - 1 | 一次 |
| ā | á | ǎ | à | 兩次 |

[17] 詞組練習

lājī　　　　xùqǔ
垃圾　　　　序曲

pāimǎ　　　pǎobù
拍馬马　　　跑步

[18] 分辨練習

gūdú　　-　　kǔdú
孤獨独　　　苦讀读

kāikǒu　-　　gǎikǒu
開开口　　　改口

1. Nǐ tàitai hǎo ma?
   你 太太 好 嗎吗？

2. Tā de bàogào māma hūhu.
   他 的 報报告 馬馬马 虎虎。

3. Tài kě le, qù kǎlā OK hē bēi kělè,
   太 渴 了，去 卡拉 OK 喝 杯 可樂乐，

   hǎo ma?
   好 嗎吗？

4. Tā méi gūfù fùmǔ de gǔlì, kèkǔ
   他 沒 辜負负 父母 的 鼓勵励，刻苦

   nǔlì, hòulái fā le dá.
   努力，後后 來来 發发了 達达。

5

一鼻韻母　　an en ang eng ong

24. 鼻韻母 an en ang eng ong

① 以 n 結尾的韻母叫前鼻韻母，發音時氣流從鼻腔裡出來。

② 以 ng 結尾的韻母叫後鼻韻母，發音的時候，雖然氣流也是從鼻腔出來，但是嘴張得大一些，舌根要較發前鼻韻母時往後縮回一些，鼻音較重，聲帶振動。

　　　　　an en ang eng ong

25. an和ang、en和eng的區分

　　an 和 en 是前鼻韻母，ang 和 eng 是後鼻韻母，比較難分清，請多作些對比練習。

① an - ang

bān 班 - bāng 幫都　　bān - bāng

fán 繁 - fáng 房　　fán - fáng

gǎn 感 - gǎng 港　　gǎn - gǎng

kàn 看 - kàng 抗　　kàn - kàng

② en - eng

gēn 跟	- gēng 羹	gēn - gēng
pén 盆	- péng 朋	pén - péng
fěn 粉	- fěng 諷讽	fěn - fěng
bèn 笨	- bèng 泵	bèn - bèng

26. 基本韻母

① 單韻母 a o e i u ü 及本課所學的鼻韻母 an
   en ang eng ong 這十一個韻母是基本韻母。

② 普通話裡一共有三十六個韻母。(不計ê)

③ 除 er 外,其他二十四個複韻母都是由這十一
   個基本韻母複合而成的。

27. 聲調練習

f - an → fan

fān	fán	fǎn	fàn
翻	凡	反	飯饭

f - en → fen

fēn	fén	fěn	fèn
分	焚	粉	份

t - ang → tang

tāng	táng	tǎng	tàng
湯汤	唐	躺	燙烫

p - eng → peng

peng	péng	pěng	pèng
烹	朋	捧	碰

h - ong → hong

hōng	hóng	hǒng	hòng
轟轰	洪	哄	訌讧

28. 拼音練習

bāng máng → bāngmáng　幫帮忙

néng gàn → nénggàn　能幹干

háng kōng → hángkōng　航空

gān bēi → gānbēi　乾干杯

29. 分辨練習

bàgōng	bàngōng
罷罢工	辦办公
gǎngbì	gāngbǐ
港幣币	鋼钢筆笔

30. 普通話音節表

聲母＼韻母	an	en	ang	eng	ong
b	bàn	bèn	bāng	bèng	-
p	pán	pēn	pàng	péng	-
m	màn	mén	máng	mèng	-
f	fǎn	fēn	fáng	fēng	-
d	dàn	dèn	dāng	děng	dōng
t	tǎn	-	táng	téng	tòng
n	nán	nèn	náng	néng	nòng
l	lán	-	làng	lěng	lóng
g	gàn	gēn	gǎng	gèng	gōng
k	kàn	kěn	kāng	kēng	kǒng
h	hán	hèn	háng	héng	hóng

第5課　練習

[20] 普通話音節表30

聲母＼韻母	an	en	ang	eng	ong
b	bàn 半	bèn 笨	bāng 幫帮	bèng 蚌	-
p	pán 盤盘	pēn 噴喷	pàng 胖	péng 朋	-
m	màn 慢	mén 門/门	máng 忙	mèng 夢梦	-
f	fǎn 反	fēn 分	fáng 房	fēng 風风	-
d	dàn 但	dèn 撑	dāng 當当	děng 等	dōng 東东
t	tǎn 坦	-	táng 糖	téng 騰腾	tòng 痛
n	nán 難难	nèn 嫩	náng 囊	néng 能	nòng 弄
l	lán 籃篮	-	làng 浪	lěng 冷	lóng 龍龙
g	gàn 幹干	gēn 跟	gǎng 港	gèng 更	gōng 公
k	kàn 看	kěn 肯	kāng 康	kēng 坑	kǒng 孔
h	hán 含	hèn 恨	háng 航	héng 恒	hóng 紅红

[21] 四聲練習

　　　a　四聲連唸的模式請熟記，對你今後唸聲調有很大幫助。

　　　　　ā　　　á　　　ǎ　　　à　　　三次

[22] 詞組練習

　　　　　pǔtōng　　　　　táifēng

　　　　méi kòng　　　　　tòngkǔ

kāifàn   kāifàng

gǎnmào   gǎnmáng

[24] 短句練習

1. Nǐ máng ma? Bù máng, dàn hěn lèi.

2. Gǎnmào fā lěng, kǒngpà bù néng qù le.

3. Tā hěn nénggàn, dàn tài lǎn, méi fǎ

bāngmáng.

4. Nǐ kānshangqù pàng le.

第5課 練習答案

[21] 四聲練習

a 四聲連唸的模式請熟記，對你今後唸聲調有很大幫助。

ă　　　ă　　　ă　　　ă　　　二次

[22] 詞組練習

　　　pǔtōng　　　　　táifēng
　　　普 通　　　　　颱台風风

　　　méi kòng　　　　tòngkǔ
　　　没 空　　　　　痛 苦

[23] 分辨練習

　　　kāifàn　　　　　kāifàng
　　　開开飯　　　　　開开放

　　　gǎnmào　　　　　gǎnmáng
　　　感 冒　　　　　趕赶忙

[24] 短句練習

1. Nǐ máng ma? Bù máng, dàn hěn lèi.
　 你 忙 嗎吗？不 忙， 但 很 累。

2. Gǎnmào fā lěng, kǒngpà bù néng qù le.
　 感冒 發发冷，恐怕 不 能 去了。

3. Tā hěn nénggàn, dàn tài lǎn,　méi fǎ
　 他 很 能幹干，但 太 懶懒，没 法

　　bāngmáng.
　　幫帮忙。

4. Nǐ kānshangqù pàng le.
　 你 看 上 去 胖 了。

6

31. 聲母 ｚ ｃ ｓ

發舌尖前音時牙齒咬緊，舌尖頂住上齒。

ｚ ｃ ｓ

32. 聲調練習

ｚ - ao → zao

zāo	záo	zǎo	zào
糟	鑿齒	早	皂

ｃ - ai → cai

cāi	cái	cǎi	cài
猜	財財	彩	菜

ｓ - an → san

sān	sán	sǎn	sàn
三	一	傘傘	散

	sān	zú	dǐng	lì	
看來	三	足	鼎	立	的局面已定。

33. 拼音練習

féi zào	→	féizào	肥皂
hěn zāng	→	hěn zāng	很髒髒
zǎo cān	→	zǎocān	早餐
fā cái	→	fācái	發发 財财
tóu sù	→	tóusù	投訴诉
sòng lǐ	→	sònglǐ	送禮礼

34. 分辨練習

zǎodào	zǒudào
早到	走到
cāimí	cáimí
猜謎谜	財财迷
sīle	sǐle
撕了	死了

35. 普通話音節表

表一

韻母\聲母	a	e	-i	u	ai	ei	ao	ou
z	zá	zé	zī	zú	zài	zéi	zǎo	zǒu
c	cā	cè	cì	cù	cái	—	cāo	còu
s	sǎ	sè	sì	sú	sài	—	sǎo	sòu

·請看第7課37節整體認讀音節P.40

表二

韻母 聲母	an	en	ang	eng	ong
z	zàn	zěn	zāng	zèng	zǒng
c	cān	cén	cáng	céng	cóng
s	sǎn	sēn	sāng	sēng	sòng

第6課　練習

[25] 普通話音節表35

表一

韻母 聲母	a	e	-i	u	ai	ei	ao	ou
z	zá 雜杂	zé 責责	zī 資资	zú 足	zài 在	zéi 賊贼	zǎo 早	zǒu 走
c	cā 擦	cè 廁厕	cì 次	cù 醋	cái 才	—	cāo 操	còu 湊凑
s	sǎ 灑洒	sè 色	sì 四	sú 俗	sài 賽赛	—	sǎo 掃扫	sòu 嗽

表二

韻母 聲母	an	en	ang	eng	ong
z	zàn 暫暂	zěn 怎	zāng 髒脏	zèng 贈赠	zǒng 總总
c	cān 餐	cén 岑	cáng 藏	céng 層层	cóng 從从
s	sǎn 傘伞	sēn 森	sāng 喪丧	sēng 僧	sòng 送

[26] 詞組練習

féizào   bǐsài

sùdù   zìdòng sǎn

[27] 分辨練習

tízǎo   tǐcāo

cāimí   cáimí

[28] 短句練習

1. Gēge késou hěn lìhài.

2. Tā ài tán dà dàolǐ, nǐ kàn, dōu zǒu le.

3. Méi zīběn zěnme kāi gōngsī?

   Píbāo gōngsī me.

4. Bǐsài, bǐ sùdù, bǐ fēnggé.

5. Méi lì bǐ bù bǐ? Bǐ.

第6課　練習答案

[26] 詞組練習

féizào	bǐsài
肥皂	比賽賽
sùdù	zìdòng sǎn
速度	自動动 傘傘

[27] 分辨練習

tízǎo	tǐcāo
提早	體体 操
cāimí	cáimí
猜謎谜	財财迷

[28] 短句練習

1. Gēge késou hěn lìhài.
   哥哥　咳嗽　很　屬厉害。

2. Tā ài tán dà dàolǐ, nǐ kàn, dōu zǒu le.
   他 愛爱談谈大 道理，你 看　都　走 了。

3. Méi zīběn zěnme kāi gōngsī?
   沒　資资本　怎麼么　開开　公司？

Píbāo gōngsī me.
皮包　公司　嘛。

4. Bǐsài,　bǐ sùdù, bǐ fēnggé.
比赛赛，比 速度，比风风格。

5. Méi lì bǐ bù bǐ? Bǐ.
没 利 比 不 比？比。

7

－捲舌聲母　zh ch sh r 舌尖後音

－整體認讀音節

36. 捲舌聲母　zh ch sh r

發舌尖後音時要捲舌，舌尖往上翹頂住上腭，因爲要捲舌，所以這四個聲母也稱捲舌聲母。

zh ch sh r

舌尖前後音對比

z - zh　　c - ch　　s - sh

按下面次序唸

zh ch sh r z c s

37. 整體認讀音節

① 聲母 zh ch sh r z c s 以及 j q x 要自成音節給漢字注音時，必須與"-i"結合寫成 zhi chi shi ri zi ci si 及 ji qi xi，使音節書寫完整。(注意此"-i"不同於韻母"i"，本身並不發音。)

② 由於"-i"並不發音，因此音節 zhi chi shi ri zi ci si 及 ji qi xi 之發音仍同聲母 zh ch sh r z c s 及 j q x。

zh chi shi ri zi ci si ji qi xi　(書寫)

| | | | | | | | | |

zh ch sh r z c s j q x　(發音)

　　上行是書寫形式，也即您見到的注音一定是
上行的形式，但其發音仍照下行，換言之，當你
見到以上音節時毋需相拼，把它們當作一個整體
一下子唸出來，故稱"整體認讀音節"。

38. 聲調練習

$$zh - u \to zhu$$

zhū	zhú	zhǔ	zhù
豬豬	築築	主	住

$$ch - ou \to chou$$

chōu	chóu	chǒu	chòu
抽	仇	醜丑	臭

$$sh - ao \to shao$$

shāo	sháo	shǎo	shào
燒燒	杓	少	邵

$$r - ang \to rang$$

rāng	ráng	rǎng	ràng
嚷	瓤	壤	讓让

```
       fēi   cháng   měi   lì
她 長 得  非   常    美   麗丽
```

39. 拼音練習

zhēn zhū → zhēnzhū 珍珠

zhǔ xí → zhǔxí 主席

chū chāi → chūchāi 出差

gōng chéng shī → gōngchéngshī 工程師师

shè jì → shèjì 設设 計计

shāo kǎo → shāokǎo 燒烧烤

měi róng → měiróng 美容

rén zhì → rénzhì 人質质

40. 分辨練習

zhèngzhì	zhèngzhí
政治	正直

zhǔlì	zǔlì
主力	阻力

chūchǎn	chūchǎng
出産产	出場场

chūrù	chūlù
出入	出路

shǒushù	shǒuxù
手術术	手續续

shīrén   sīrén   sǐrén

詩詩人   私人   死人

rénshēn   rénshēng

人參參   人生

rénxīn   rènxìng

人心   任性

41. 普通話音節表

表一

韻母\声母	a	e	-i	u	ai	ei	ao	ou
zh	zhá	zhé	zhì	zhù	zhái	zhèi	zhǎo	zhōu
ch	chá	chē	chī	chū	chāi	—	chǎo	chòu
sh	shǎ	shè	shí	shū	shài	shéi	shāo	shǒu
r	—	rè	rì	rú	—	—	ráo	ròu

表二

韻母\声母	an	en	ang	eng	ong
zh	zhàn	zhēn	zhǎng	zhèng	zhòng
ch	chǎn	chén	cháng	chéng	chǒng
sh	shàn	shēn	shàng	shèng	—
r	rǎn	rén	ràng	rēng	róng

[29] 普通話音節表41

表一

韻母 聲母	a	e	-i	u	ai	ei	ao	ou
zh	zhá 閘閘	zhé 折	zhì 質质	zhù 祝	zhái 宅	zhèi 這这	zhǎo 找	zhōu 粥
ch	chá 查	chē 車车	chī 吃	chū 初	chāi 拆	—	chǎo 炒	chòu 臭
sh	shǎ 傻	shè 設没	shí 石	shū 書书	shài 曬晒	shéi 誰谁	shāo 燒烧	shǒu 手
r	—	rè 熱热	rì 日	rú 如	—	—	ráo 饒饶	ròu 肉

表二

韻母 聲母	an	en	ang	eng	ong
zh	zhàn 站	zhēn 真	zhǎng 掌	zhèng 正	zhòng 重
ch	chǎn 產产	chén 塵尘	cháng 常	chéng 成	chǒng 寵宠
sh	shàn 善	shēn 深	shàng 上	shèng 勝胜	—
r	rǎn 染	rén 人	ràng 讓让	rēng 扔	róng 容

[30] 分辨練習

1. zh-z　　zhùfáng　　　　zūfáng

　　　　　　zhǔfù　　　　　zǔfù

2. ch-c   chíxù   cíxù

             chūlù   cūlǔ

3. sh-s   gōngshì   gōngsī

             jìshù   jìsù

4. z-j   zīběn   jīběn

             zìjǐ   zhījǐ

5. z-c   zhídào   chídào

             zhǔxí   chūxí

6. c-s   chāshǒu   cāshǒu

             shūcài   sùcài

7. s-z   zìsī   zīshì

zǒngshì   zhòngshì

8. r-l   rànglù   rènlù

        rèmén   lěngmén

[31] 短句練習

1. Dà gōng gào chéng.

2. Shībài shì chénggōng zhī mǔ.

3. Zhīzú cháng lè.

4. Zì dé qí lè, lè zài qí zhōng.

5. Rén shàn dé rén qī, mǎ shàn dé rén qí.

6. Gōngxǐ fācái, lìshì nálái.

[30] 分辨練習

1. zh-z

   zhùfáng　　zūfáng
   住房　　　　租房

   zhǔfù　　　zǔfù
   囑囑咐　　　祖父

2. ch-c

   chíxù　　　cíxù
   持續续　　　詞词序

   chūlù　　　cūlǔ
   出路　　　　粗魯鲁

3. sh-s

   gōngshì　　gōngsī
   公事　　　　公司

   jìshù　　　jìsù
   技術术　　　寄宿

4. z-j

   zīběn　　　jīběn
   資资本　　　基本

   zìjǐ　　　　zhījǐ
   自己　　　　知己

5. z-c

   zhídào　　chídào
   直到　　　　遲迟到

   zhǔxí　　　chūxí
   主席　　　　出席

6. c-s

   chāshǒu　　cāshǒu
   插手　　　　擦手

	shūcài	sùcài
	蔬菜	素菜
7. s-z	zìsī	zīshì
	自私	姿勢势
	zǒngshì	zhòngshì
	總总是	重視视
8. r-l	rànglù	rènlù
	讓让路	認认路
	rèmén	lěngmén
	熱热門门	冷門门

[31] 短句練習

1. Dà gōng gào chéng.
   大　功　告　成。

2. Shībài shì chénggōng zhī mǔ.
   失敗败　是　成功　　之　母。

3. Zhīzú cháng lè.
   知足　常　樂乐。

4. Zì dé qí lè, lè zài qí zhōng.
   自　得　其　樂乐　樂乐　在　其　中。

5. Rén shàn dé rén qī, mǎ shàn dé rén qí.
   人　善　得　人　欺，馬马　善　得　人　騎骑。

6. Gōngxǐ fā cái, lìshì nálái.
   恭喜　發发財财，利是　拿來。

41. 複韻母　ia　ie　iao　iou (iu)

① 前兩個 ia 和 ie 是由兩個單韻母複合而成；

　　後兩個 iao 和 iou 是由單韻母和複韻母相拼

　　而成。

　　　　　　例如：i - ao → iao

② ie 中的 e 發 ê 音。

③ iou 與聲母相拼時要省略 o，寫成 iu。

　　　　　　例如：niú　牛

　　　　ia　ie　iao　iou (iu)

42. 聲調練習

　　　　　　　j - ia → jia

　　　jiā　　jiá　　jiǎ　　jià
　　　家　　　夾　　　假　　　嫁

　　　　　　　x - ie → xie

　　　xiē　　xié　　xiě　　xiè
　　　些　　　鞋　　　寫写　　　謝谢

t - iao → tiao

tīao	tiáo	tiǎo	tiào
挑	條条	窕	跳

l - iu → liu

līu	liú	liǔ	liù
溜	劉刘	柳	六

dēng	hóng	jiǔ	nǜ
好一派 | 燈灯 | 紅 | 酒 | 綠 | 的景象。

44. 拼音練習

dì　tiě → dìtiě　地鐵铁

pí　jiǔ → píjiǔ　啤酒

xiū　xī → xiūxi　休息

qiǎo　kè　lì → qiǎokèlì　巧克力

45. 分辨練習

jīpiào	zhīpiào
機机票	支票

xiàlóu	xiàliú
下樓楼	下流

46. 普通話音節表

韻母 聲母	-i	ia	ie	iao	iou (iu)
b	—	—	bié	biǎo	—
p	—	—	piě	piào	—
m	—	—	miè	miǎo	miù
d	—	—	dié	diào	diū
t	—	—	tiē	tiào	—
n	—	—	niè	niǎo	niú
l	—	liǎ	liè	liào	liú
j	jí	jiā	jiě	jiào	jiù
q	qì	qià	qiè	qiǎo	qiú
x	xī	xiā	xiè	xiào	xiū

第8課　練習

[32] 普通話音節表46

韻母 聲母	-i	ia	ie	iao	iou (iu)
b	—	—	bié別	biǎo錶表	—
p	—	—	piě撇	piào票	—
m	—	—	miè滅灭	miǎo秒	miù謬谬
d	—	—	dié碟	diào掉	diū丟
t	—	—	tiē貼贴	tiào跳	—
n	—	—	niè孽	niǎo鳥鸟	niú牛
l	—	liǎ倆	liè劣	liào料	liú留
j	jí吉	jiā家	jiě姐	jiào叫	jiù舊旧
q	qì氣气	qià恰	qiè怯	qiǎo巧	qiú球
x	xī希	xiā蝦虾	xiè蟹	xiào笑	xiū休

[33] 詞組練習

biékèqi   xiāosǎ

xiāoxi   miáotiáo

[34] 分辨練習

bānjiā   bànjià

xiězì   xiézi

1. Shàngbān chídào, xiàbān tízǎo.

2. Jiàoshòu zài jiàoshì lǐ jiāoshū.

3. Méi shéme kě jiěsì de, shìshí jiùshì rúcǐ.

4. Dàzháxiè shàngshì, māma mǎi le bù shǎo,

gāng zhēng hǎo, qù chī ba.

5. Qiú rén bù rú qiú jǐ.

6. Bān qǐ shítou dǎ zìjǐ de jiǎo.

第8課 練習答案

biékèqi	xiāosǎ
別客氣气	瀟瀟灑洒

xiāoxi   miáotiáo

消息   苗條条

[34] 分辨練習

bānjiā   bànjià

搬家   半價价

xiězì   xiézi

寫写字   鞋子

[35] 短句練習

1. Shàngbān chídào, xiàbān tízǎo.

上班   遲迟到   下班   提早。

2. Jiàoshòu zài jiàoshì lǐ jiāoshū.

教授   在   教室   裡里 教書书。

3. Méi shéme kě jiěshì de, shìshí jiùshì rúcǐ.

沒   甚什麼么可 解釋释 的,事實实 就是 如此。

4. Dàzháxiè shàngshì, māma mǎi le bù shǎo,

大閘闸蟹   上市,   媽媽妈妈 買买 了 不 少,

gāng zhēng hǎo, qù chī ba.

剛   蒸   好,去 吃 吧。

5. Qiú rén bù rú qiú jǐ.

求 人 不 如 求 己。

6. Bān qǐ shítou dǎ zìjǐ dé jiǎo.

搬 起 石頭头打 自己的 腳。

9

一鼻韻母　ian in iang ing iong
特定聲母　y

47. 鼻韻母　ian　in　iang　ing　iong

① 前兩個 ian　in 是前鼻韻母，後三個 iang　ing
iong 是後鼻韻母。

② ian 中之 a 發 ê 音。

③ in 實際上是 i 和 en 相併，但習慣上省略 e 寫
成 in。

④ ing 則是 i 和 eng 相併，但習慣上省略 e 寫
成 ing。

ian　in　iang　ing　iong

48. 特定聲母　y

① y 的發音同 i。

② 當以 i 開頭的韻母要自成音節時，須用特定聲母改
寫成如下形式：

yi ya ye yao you yan yin yang ying yong (書寫)

| | | | | | | | | |

i ia ie iao iou ian in iang ing iong (發音)

上行是書寫形式，也即您見到的注音一定是上
行的形式，但其發音仍照下行，毋需相拼，一下子
唸出來即可。

49. 聲調練習

yī

yī	yí	yǐ	yì
衣	移	椅	億亿

n - ian → nian

nīan	nián	niǎn	niàn
拈	年	撚撚	唸

p - in → pin

pīn	pín	pǐn	pìn
拼	貧贫	品	聘

x - iang → xiang

xīang	xiáng	xiǎng	xiàng
香	祥	想	向

q - ing → qing

qīng	qíng	qǐng	qìng
清	情	請请	慶庆

yong

yōng	yóng	yǒng	yòng
擁擁	喁	永	用

	jīn	yín	shǒu	shì
女孩子喜歡	金	銀銀	首	飾飾

50. 拼音練習

mǐng piàn → mǐngpiàn 名片

xìng míng → xìngmíng 姓名

qǐng jìn → qǐng jìn 請請進进

zài jiàn → zài jiàn 再見见

51. 分辨練習

gēxīng	gèxìng
歌星	個个性
xiāngyān	xiǎngniàn
香煙烟	想念
qiānbǐ	qiāngbì
鉛铅筆笔	槍枪斃毙
jǐngchá	jiǎnchá
警察	檢检查

52. 普通話音節表

韻母 聲母	ian	in	iang	ing	iong
b	biān	bīn	—	bìng	—
p	piàn	pǐn	—	píng	—
m	miǎn	mín	—	mìng	—
d	diàn	—		dǐng	—
t	tián	—	—	tīng	—
n	niàn	nín	niáng	níng	—
l	liǎn	lín	liàng	lǐng	—
j	jiàn	jīn	jiǎng	jìng	jiǒng
q	qián	qín	qiáng	qǐng	qióng
x	xián	xìn	xiǎng	xìng	xiōng

第9課　練習

[36] 普通話音節表52

韻母\聲母	ian	in	iang	ing	iong
b	biān編编	bīn賓宾	—	bìng病	—
p	piàn騙骗	pǐn品	—	píng平	—
m	miǎn免	mín民	—	mìng命	—
d	diàn電电	—	—	dìng訂订	—
t	tián甜	—	—	tīng聽听	—
n	niàn唸	nín您	niáng娘	níng寧宁	—
l	liǎn臉脸	lín林	liàng亮	lǐng領领	—
j	jiàn見见	jīn金	jiǎng講讲	jìng靜静	jiǒng窘
q	qián錢钱	qín琴	qiáng強	qǐng請请	qióng窮穷
x	xián鹹咸	xīn心	xiǎng想	xìng姓	xiōng兄

[37] 詞組練習

    xíngxiàng   jiǎnféi

    diànnǎo   xīnniáng

[38] 分辨練習

    liúliàn   liúniàn

    xìnggǎn   xìnggé

1. Gōngjìng bù rú cóng mìng.

2. Jiājiā yǒu běn nán niàn de jīng.

3. Chū de tīngtáng, rù dé chúfáng.

4. Bù jīng yí shì, bù zhǎng yí zhì.

5. Chī yí qiàn, zhǎng yí zhì.

6. Zǎo zhī jīnrì, hébì dāngchū.

7. Nǚ dà shíbā biàn, língshí shàng

jiào biàn sān biàn.

第9課 練習答案

[37] 詞組練習

xíngxiàng　　　　jiǎnféi

形象　　　　　　減肥

diànnǎo　　　　xīnniáng

電电腦脑　　　　新娘

liúliàn　　　　　liúniàn

留戀恋　　　　　留念

xìnggǎn　　　　xìnggé

性感　　　　　　性格

1. Gōngjìng bù rú cóng mìng.
   恭敬　不如　從　命。

2. Jiājiā yǒu běn nán niàn de jīng.
   家家　有　本　難难　唸　的　經经。

3. Chū de tīngtáng, rù dé chúfáng.
   出　得　廳厅堂，入　得　厨房。

4. Bù jīng yí shì, bù zhǎng yí zhì.
   不　經经一　事，不　長长　一　智。

5. Chī yī qiàn, zhǎng yí zhì.
   吃　一　塹堑，長长　一　智。

6. Zǎo zhī jīnrì, hébì dāngchū.
   早　知　今日，何必　當当初。

7. Nǚ dà shíbā biàn, língshí shàng jiào biàn
   女　大　十八　變变，臨临時时　上　轎轿變变

sān biàn.

三　變变。

10

53. 複韻母　ua　uo　uai　uei (ui)

uei 與聲母相拼時，要省略 e 寫成 ui。

例如：　　　duì　對

ua　uo　uai　uei (ui)

54. 聲調練習

h - ua → hua

huā	huá	huǎ	huà
花	華华	－	化

g - uo → guo

guō	guó	guǒ	guò
郭	國国	果	過过

g - uai → guai

guāi	guái	guǎi	guài
乖	－	拐	怪

s - ui → sui

suī	suí	suǐ	suì
雖虽	隨随	髓	歲岁

<pre>
                        gāo   péng   mǎn   zuò
  他家裡常常是   高   朋   滿   座
</pre>

55. 拼音練習

<pre>
        kāi   huì → kāihuì   開开會会

bùjì   kuài jì → kuàijì   會会計计

        tuì   xiū → tuìxiū   退休

        cè   suǒ → cèsuǒ   廁厕所
</pre>

56. 分辨練習

<pre>
        tuīcí   tuīchí
        推辭辞   推遲迟

        huǒ chē   huò chē
        火 車车   貨货車车
</pre>

57. 普通話音節表

韻母 聲母	ua	uo	uai	uei(ui)
d	-	duō	-	duì
t	-	tuǒ	-	tuǐ
n	-	nuò	-	-
l	-	luó	-	-
g	guǎ	guó	guāi	guì
k	kuà	kuò	kuài	kuī
h	huá	huǒ	huái	huí
zh	zhuā	zhuó	zhuāi	zhuī
ch	chuā	chuò	chuǎi	chuī
sh	shuā	shuō	shuāi	shuǐ
r	ruá	ruò	-	ruì
z	-	zuǒ	-	zuǐ
c	-	cuò	-	cuì
s	-	suǒ	-	suì

第10課　練習

[40] 普通話音節表57

韻母 聲母	ua	uo	uai	uei(ui)
d	-	duō 多	-	duì 對对
t	-	tuǒ 妥	-	tuǐ 腿
n	-	nuò 諾诺	-	-
l	-	luó 羅罗	-	-
g	guǎ 寡	guó 國国	guāi 乖	guì 貴贵
k	kuà 跨	kuò 闊阔	kuài 快	kuī 虧亏
h	huá 華华	huǒ 火	huái 懷怀	huí 回
zh	zhuā 抓	zhuó 鐲镯	zhuāi 拽	zhuī 追
ch	chuā 欻	chuò 綽绰	chuǎi 揣	chuī 吹
sh	shuā 刷	shuō 説说	shuāi 摔	shuǐ 水
r	ruá 挼	ruò 弱	-	ruì 瑞
z	-	zuǒ 左	-	zuǐ 嘴
c	-	cuò 錯错	-	cuì 脆
s	-	suǒ 所	-	suì 歲岁

[41] 詞組練習

　　　tuìxiū　　　　　　kuàilè

　　　　duō shǎo　　　　qǐng suíbiàn

[42] 分辨練習

　　　huíyì　　　　　　huìyì

xiaōhuà   xiào huà

[43] 短句練習

1. Jīnrì yǒu jiǔ jīnrì zuì.

2. Yǒu jiè yǒu huái, zài jiè bù nán.

3. Bā xiān guò hǎi, gè xiǎn shén tong.

4. Niánnián yǒu jīnrì, suìsuì yǒu jīn zhāo.

5. Huà hǔ huà pí nán huà gǔ,

   zhī rén zhī miàn bù zhī xīn.

6. Jiǔ féng zhī jǐ qiān bēi shǎo,

   huà bù tóu jī bàn jù duō.

67－課10

[41] 詞組練習

　　　　tuì xiū　　　　　kuàilè
　　　　退　休　　　　　快樂乐

　　　　duōshǎo　　　　qǐng suíbiàn
　　　　多少　　　　　　請请 隨隨便

[42] 分辨練習

　　　　huíyì　　　　　huìyì
　　　　回憶忆　　　　　會会 議议

　　　　xiaōhuà　　　　xiàohuà
　　　　消化　　　　　　笑話话

[43] 短句練習

1. Jīnrì yǒu jiǔ jīnrì zuì.
　 今日 有 酒 今日 醉。

2. Yǒu jiè yǒu huái, zài jiè bù nán.
　 有 借 有 還还，再 借 不 難难。

3. Bā xiān guò hǎi, gè xiǎn shén tōng.
　 八 仙 過过 海，各 顯显 神 通。

4. Nián nián yǒu jīnrì, suì suì yǒu jīn zhāo.
　 年 年 有 今日 歲 歲岁有 今 朝。

5. Huà hǔ huà pí nán huà gǔ,
   畫画 虎 畫画皮 難难 畫画骨，

   zhī rén zhī miàn bù zhī xīn.
   知 人 知 面 不 知 心。

6. Jiǔ féng zhī jǐ qiān bēi shǎo,
   酒 逢 知 已 千 杯 少，

   huà bù tóu jī bàn jù duō.
   話话 不 投 機机半 句 多。

11

－鼻韻母　　uan uen (un) uang ueng

－特定聲母　w

彎　溫　汪　　黃 huáng　王 uang

58. 鼻韻母　uan　uen(un)　uang　ueng

① 前兩個 uan uen(un) 是前鼻韻母，後兩個
　 uang ueng 是後鼻韻母。

② 當 uen 和聲母相拼時，要省略 e 寫成 un。

　 例如：　　　hūn　婚

　　　　uan　uen(un)　uang　ueng

59. 特定聲母　w

① w 的發音同 u

② 當以 u 開頭的韻母要自成音節時，須用特定聲
　 母 w 改寫成如下形式：

　 wu wa wo wai wei wan wen wang weng （書寫）

　 ｜　｜　｜　｜　｜　｜　｜　　｜　　｜

　 u　ua uo uai uei uan uen uang ueng　（發音）

　　　　上行是書寫形式，也即您所見到的註音一定是
上行的形式，但其發音仍照下行，毋須相拼，一下
子唸出來即可。

60. 聲調練習

wu (u)

wū　wú　wǔ　wù
鄔邬　吳　武　　務务

h - uan → huan

huān　huán　huǎn　huàn
歡欢　環环　緩缓　　換

wen (uen)

wēn　wén　wěn　wèn
溫　聞闻　吻　問问

ch - uang → chuang

chuāng　chuáng　chuǎng　chuàng
窗　　床　　闖闯　　創创

weng (ueng)

wēng　wéng　wěng　wèng
翁　　一　　蓊　　甕瓮

　　　　　xīn　zhí　kǒu　kuài
他這個人　心　直　口　快

61. 拼音練習

huān yíng → huānyíng　歡欢迎

fù wēng → fùwēng　富翁

bié wàng jì → bié wàngjì　別忘記记

wǒ ài nǐ → wǒ ài nǐ　　我愛爱你

62. 分辨練習

cānguān　　　　cānguǎn
參参觀观　　　　餐館馆

jīhuì　　　　　jīwèi
機机會机　　　　機机位

63. 普通話音節表

韻母 聲母	uan	uen(un)	uang
d	duǎn	dùn	-
t	tuán	tūn	-
n	nuǎn	-	-
l	luàn	lùn	-
g	guān	gǔn	guāng
k	kuǎn	kùn	kuáng
h	huàn	hūn	huāng
zh	zhuǎn	zhǔn	zhuāng
ch	chuán	chǔn	chuáng
sh	shuān	shùn	shuāng
r	ruǎn	rùn	-
z	zuàn	zūn	-
c	cuàn	cún	-
s	suān	sūn	-

[44] 普通話音節表63

韻母 聲母	uan	uen(un)	uang
d	duǎn 短	dùn 盾	-
t	tuán 團团	tūn 吞	-
n	nuǎn 暖	-	-
l	luàn 亂乱	lùn 論论	-
g	guān 官	gǔn 滾	guāng 光
k	kuǎn 款	kùn 困	kuáng 狂
h	huàn 換	hūn 婚	huāng 慌
zh	zhuǎn 轉转	zhǔn 準	zhuāng 裝
ch	chuán 船	chǔn 蠢	chuáng 床
sh	shuān 閂闩	shùn 順顺	shuāng 雙双
r	ruǎn 軟软	rùn 潤润	-
z	zuàn 賺赚	zūn 尊	-
c	cuàn 竄窜	cún 存	-
s	suān 酸	sūn 孫	-

[45] 詞組練習

yuǎnjiàn　　　xīwàng

jié hūn　　　huàzhuāng

kāi chuāng   kāi qiāng

shāng rén   shuāng rén fáng

[47] 短句練習

1. Nán dà dāng hūn, nǚ dà dāng jià

2. Shì zài rén wéi, rén dìng shèng tiān

3. Qiú dà tóng, cún xiǎo yì.

4. Rén féng xǐ shì jīngshen shuǎng.

5. Qīng guān nán duàn jiāwù shì.

6. Xī yáng wú xiàn hǎo, zhǐ shì jìn huáng hūn.

7. Hǎi nèi cún zhī jǐ, tiān yá ruò bǐ lín.

8. Tiān xià wú nán shì, zhǐ pà yǒu xīn rén.

9. Wèi dàjiā de jiànkāng gānbēi.

第11課　練習答案

[45] 詞組練習

yuǎnjiàn　　　xīwàng
軟软件　　　　希望

jiéhūn　　　　huàzhuāng
結结 婚　　　　化妝

[46] 分辨練習

kāi chuāng　　kāi qiāng
開开 窗　　　　開开 槍枪

shāng rén　　shuāngrén fáng
商　人　　　　雙双 人　房

[47] 短句練習

1. Nán dà dāng hūn, nǚ dà dāng jià.
　男 大 當当 婚，女 大 當当 嫁。

2. Shì zài rén wéi, rén dìng shèng tiān.
　事 在 人 爲为，人 定 勝胜 天。

3. Qiú dà tóng, cún xiǎo yì.
　求 大 同，存 小 異异。

4. Rén féng xǐ shì jīngshen shuǎng.
   人 逢 喜事 精神 爽。

5. Qīng guān nán duàn jiāwù shì.
   清 官 難难 斷断 家務务事。

6. Xī yáng wú xiàn hǎo, zhǐ shì jìn
   夕 陽阳 無无 限 好，只是 近

   huáng hūn.
   黄 昏。

7. Hǎi nèi cún zhí jǐ, tiān yá ruò
   海 內 存 知己，天 涯 若

   bǐ tín.
   比 鄰邻。

8. Tiān xià wú nán shì, zhǐ pà yǒu
   天 下 無无 難难 事，只 怕 有

   xīn rén.
   心 人。

9. Wèi dàjiā de jiànkāng gānbēi.
   爲为 大家的 健康 乾干杯。

12

-複韻母　　üe　üan　ün

-特定聲母　y

64. 複韻母　üe　üan　ün

　　① 複韻母 üe 中之 e 要發 ê 音。

　　② üan 中之 a 發 ê 音

　　③ ün 實際上是 ü 和 en 相拼，但習慣上
　　　　省略 e 寫成 ün。

　　　　jūn　均　　qún　羣群　　xùn　訓训

　　　　　　　üe　üan　ün

65. 特定聲母　y

　　　　當以 ü 開頭的韻母要自成音節時，須用特定
　　聲母 y 改寫成如下形式(注意 ü 上兩點要省略，
　　但仍發 ü 音)：

　　　　　　yu　yue　yuan　yun　(書寫)
　　　　　　│　　│　　　│　　　│
　　　　　　ü　　üe　　üan　　ün　(發音)

　　　　上行是書寫形式，也即您所見到的註音一定是
　　上行形式，但其發音仍照下行，換言之，當你見

到 y 後面的 u 實際上是 ü，也毋需相拼，一下
子唸出來即可。

66. 聲調練習

yu (ü)

yū	yú	yǔ	yù
迂	魚鱼	雨	玉

x - üe → xue

xuē	xué	xuě	xuè
靴	學学	雪	謔谑

yuan (üan)

yuān	yuán	yuǎn	yuàn
冤	園园	遠远	院

q - uan → quan

quān	quán	quǎn	quàn
圈	全	犬	券

yun (ün)

yūn	yún	yǔn	yùn
暈晕	雲云	允	孕

fēng tiáo yǔ shùn

這是一個 風风 調调 雨 順顺 的好年頭。

67. 拼音練習

yīn yuè → yīnyuè　音樂乐

xuē zǐ → xuēzi　靴子

hūa yuán → huayuán　花園园

yùn dòng → yùndòng　運运 動动

68. 分辨練習

| zhù yuàn | chū yuàn |
| 住　院 | 出　院 |

| yuèliàng | yuánliàng |
| 月　亮 | 原諒谅 |

| huáxuě | huàxué |
| 滑雪 | 化學学 |

69. 普通話音節表

韻母 聲母	ü	üe	üan	ün
n	-	nüè	-	-
l	-	lüè	-	-
j	jú	jué	juān	jūn
q	qū	què	quàn	qún
x	xǔ	xué	xuān	xūn

[48] 普通話音節表69-p

韻母／聲母	ü	üe	üan	ün
n	-	nüè 虐	-	-
l	-	lüè 略	-	-
j	jú 局	jué 決	juān 捐	jūn 君
q	qū 屈	què 雀	quàn 勸劝	qún 裙
x	xǔ 許许	xué 學学	xuān 宣	xūn 燻熏

[49] 詞組練習

　　　xúexiào　　　　　píngjūn

　　　xuānchuán　　　wǒ yuànyì

[50] 分辨練習

　　　xián yú　　　　　xiān yú

　　　juānxiàn　　　　juān xuè

[51] 短句練習

1. Jūn zǐ yì yán, kuài mǎ yì biān

2. Chéng shì bù zú, bài shì yǒu yú.

3. Bǐ shàng bù zú, bǐ xià yǒu yú.

4. Dāng jú zhě mí, páng guān zhě qīng.

5. Tiān wú jué rén zhī lù.

6. Huó dào lǎo, xué dào lǎo, xué bù liǎo.

7. Xīn xiǎng, shí gàn, jiā shàng yùn qì shì kě

chéng.

8. Bù shí Lúshān zhēn miàn mù, zhǐ yuán

shēn zài cǐ shān zhōng.

[49] 詞組練習

xuéxiào   píngjūn
學学校   平均

xuānchuán wǒ yuànyì
宣傳传   我　願意

[50] 分辨練習

xián yú   xiān yú
鹹咸魚鱼   鮮鲜魚鱼

juānxiàn   juān xuè
捐獻献   捐　血

[51] 短句練習

1. Jūn zǐ yì yán, kuài mǎ yì biān.
　 君 子 一 言，快 馬马 一 鞭。

2. Chéng shì bù zú, bài shì yǒu yú.
　 成　事 不 足，敗败事 有 餘余。

3. Bǐ shàng bù zú, bǐ xià yǒu yú.
　 比 上 不 足，比 下 有 餘余。

4. Dāng jú zhě mí, páng guān zhě qīng.
　 當当 局 者 迷，旁 觀观 者 清。

5. Tiān wú jué rén zhī lù.
　 天 無无 絕绝人 之 路。

6. Huó dào lǎo, xué dào lǎo, xué bù liǎo.
   活　到老，學学到　老 學学不　了。

7. Xīn xiǎng, shí gàn,　jiā shàng yùn
   心　想， 實实 幹干，加　上　 運运

   qì　shì kě chéng.
   氣气 事 可　成。

8. Bù shí Lúshān zhēn miàn mù,
   不　識识 蘆芦山　真　 面 目，

   zhǐ yuán shēn zài cǐ shān zhōng
   只　緣缘　身　在 此 山　中。

13

一捲舌韻母　er

一兒化

一零聲母音節

70. 捲舌韻母　er

① er 發音方法同韻母 e，加上捲舌動作就
成 er 音。

② er 是韻母，但也可以不跟聲母相拼獨立自成音
節，因沒有聲母故稱零聲母音節。

érzi　　　　nǚ'ér
兒儿子　　　女兒儿

71. 兒化

① 捲舌韻母 er 和前面的音節結合，可使前一音
節的韻母由原來不捲舌變成捲舌韻母(或稱兒化
韻母)，此現象稱兒化，該音節則稱兒化音節。

② 兒化音節的拼寫法是只需在該音節後加上 r (不
是加 er)。

huā　　　　huār
花　　　　　花兒儿

wán   wánr

玩   玩兒儿

注意：

— 一個音節兒化後仍是一個音節，不是兩個音節。

    huā 是一個音節　huār 也只是一個音節

— 通常一個音節代表一個漢字的發音，但兒化音節雖是一個音節卻可代表兩個漢字(多"兒"字)

huā   huār

花   花兒儿

— 如把發一個音節的時間作爲一拍，則兒化音節雖屬兩個字，但因爲只是一個音節，故其發音時間只佔一個音節的時間(一拍)。

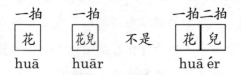

— r 在音節之尾表示該音節要兒化，r 在音節之首表示 r 是捲舌聲母。

72. 兒化的作用

① 區別詞義或詞性

tóu   tóur
頭头 (腦脑袋)   頭头 兒儿 (領领導导)

báimiàn   báimiànr
白麵面 (麵面粉)   白麵面 兒儿 (毒品)

gài   gàir
蓋盖 (動动 詞词)   蓋盖 兒儿 (名詞词)

huà   huàr
畫画 (動动 詞词)   畫画 兒儿 (名詞词)

② 帶有感情色彩

xiǎo māor   xiǎoháir
小   貓兒儿   小孩兒儿

měirénr   míngpáir
美人兒儿   名牌兒儿

73. 兒化音練習

—原來不捲舌的韻母由於兒化變成捲舌韻母，其發
音和原來不捲舌時會有些變化，但這音變無一定
規律，只能多聽多模倣才能掌握。

—開始練習時，對直接影響詞義或詞性的字則必需
兒化，至於帶有感情色彩的兒化音可放在後一
步。

① 影响意義

zhèr	nàr	nǎr	yíhuìr
這这兒儿	那兒儿	哪兒儿	一會会兒儿

dāihuǐr	děnghuǐr	yìdiǎnr
待會会兒儿	等會会兒儿	一點点兒儿

yíkuàir	mótèr
一塊块兒儿	模特兒儿

② 帶有感情色彩

diànyǐngr	chàng gēr
電电影兒儿	唱　歌兒儿

wánr	xiǎo wányìr
玩 兒儿	小　玩意 兒儿

mànmānr	hǎohāor
慢　慢兒儿	好好兒儿

xiǎo shìr	méi shìr
小 事兒儿	没 事兒儿

74. 零聲母音節

一般來説，漢字的音節由聲母、韻母和聲調三部分組成，但也可以没有聲母，只有韻母和聲調組成音節，稱"零聲母音節"。(注意聲母和聲調不能組成音節)

除了剛學的捲舌韻母 er 外，還有以下的韻母也可以組成零聲母音節。

a o e er ai ao ou

an en ang

(ê 也是，但少用)

第13課 練習

[52] 兒化音

xiǎo liǎndànr	nǔ háir
lǎotóur	xiǎo tōur
gāo gèr	xiǎo niǎor
zīwèir	liáotiānr
yuán quānr	hùa huàr

[53] 零聲母音節

1. Àozhōu　Ōuzhōu　Yàzhōu

2. āyí   tiān'é'róng   ér tóng

gāo'ěrfū qiú   àiqíng   liàn'ài

āo tū bù píng   ǒuxiàng

hēi'àn   ānquán   ēnyuàn

bào'ēn   āngzāng

[54] 混合練習
1. Huí tóu shì àn.

2. Wēn gù ér zhī xīn.

3. Ěr tīng shì xū, yǎn guān shì shí.

4. Láng cái nǚ mào, jiā ǒu tiān chéng.

第13課　練習答案

[52] 兒化音

xiǎo liǎndànr   nǚháir
小　臉脸蛋兒儿　女孩兒儿

lǎotóur   xiǎo tōur
老　頭头兒儿　小　偷兒儿

gāo gèr   xiǎo niǎor
高　個个兒儿　小　鳥鸟兒儿

zīwèir   liáotiānr
滋味兒儿　聊天兒儿

yuán quānr   huà huàr
圓圆　圈兒儿　畫　畫画兒儿

[53] 零聲母音節

1. Àozhōu   Ōuzhōu   Yàzhōu
澳洲　　　歐欧洲　　　亞洲

2. āyí   tiān'é'róng   értóng
阿姨　　天鵝鹅絨　兒儿童

gāo'ěrfū qiú   àiqíng   liàn'ài
高爾尔夫 球　愛爱情　戀恋愛爱

āo tū bù píng   ǒuxiàng
凹 凸不 平　　偶像

hēi'àn   ānquán   ēnyuàn
黑暗　　安全　　恩怨

bào'ēn   āngzāng
報报 恩　骯肮髒脏

1. Huí tóu shì àn
   回 頭头是 岸。

2. Wēn gù ér zhī xīn.
   溫 故 而 知 新。

3. Ěr tīng shì xū, yǎn guān shì shí.
   耳 聽听 是 虛，眼 觀观 是 實实。

4. Láng cái nǚ mào jiā ǒu tiān chéng
   郎 才 女 貌，佳偶 天 成。

14

三聲字變調

75. 詞

一個詞由幾個三聲字組成時，除最後一個字仍唸第三聲外其它字要改唸第二聲。

kěyǐ → kéyǐ　可以

suǒyǐ → suóyǐ　所以

yěxǔ → yéxǔ　也許许

zhǎnlǎnguǎn → zhánlánguǎn　展覽览館馆

76. 句子

一個句子由兩個或兩個以上的三聲字連在一起時，先按詞和語意劃分單位，除了最後一個仍唸第三聲外，其它字則按以上三聲詞變調規則變讀。

Nǐ hǎo. → Ní hǎo.
你　好。

wǒ hěn hǎo, nǐ ne? → Wó hén hǎo, nǐ ne?
我　很　好，你　呢?

wǒ yě hěn hǎo → Wó yé hén hǎo.
我　也　很　好。

wǒ hěn liǎojiě nǐ. → Wó hén liáojié nǐ.
我　很　瞭了解你。

Qǐng nǐ gěi lǎobǎn mǎi liǎng bǎ yǔsǎn.→

Qíng ní gěi láobán mǎi liáng bá yǔsǎn.
请请 你 给给老闆板 买买 两 把 雨伞伞。

77. 强調

句子有需要强調之字，即使不在句末也要唸三
聲。

① 强調是"我"不是"你"買。

wǒ mǎi shǒubiǎo → Wǒ mái shóubiǎo.
　　　　　　　　　　我　 買买 手錶表。

② 强調是"買"不是"賣"。

wǒ mǎi shǒubiǎo → Wó mǎi shóubiǎo.
　　　　　　　　　　我　 買买 手錶表。

第14課　練習

[55] 分辨練習

　　　gǔdǒng → gúdǒng　　gǔdōng

　　　xiǎng sǐ → xiáng sǐ　　xiāngsī

　　以下的三聲字，請你根據三聲字變調規則加上調號，然後再寫上漢字。

1. chuli　　　　　　lixiang

   biaoyan　　　　　zongtong

2. Xizao.

   Lengshui zao.

   Wo xi lengshui zao.

   Wo ye xi lengshui zao.

3. Zhanlanguan li you hao ji bai zhong

   zhanlanpin.

4. li suo dang ran　　fan lao huan tong

   dan xiao ru shu　　jing di zhi wa

[55] 分辨練習

　　　　gǔdǒng　→　gúdǒng　　gǔdōng
　　　　　　　　　　　古董　　　　股東东

　　　　xiǎng sǐ　→　xiáng sǐ　　xiāngsī
　　　　　　　　　　　想　死　　　想思

[56] 詞組及短句練習

1. chúlǐ　　　　　　　líxiǎng
　　處处理　　　　　　理　想

　　biáoyǎn　　　　　zóngtǒng
　　表演　　　　　　總总 統统

2. Xízǎo.
　　洗澡。

　　Léngshuǐ zǎo.
　　冷　水　澡。

　　Wó xǐ léngshuǐ zǎo.
　　我　洗　冷水　澡。

　　Wó yé xǐ léngshuǐ zǎo.
　　我　也　洗　冷水　澡。

3. Zhánlánguǎn li yǒu háo jí bái zhǒng
　　展覽览館馆 裡里 有　好　幾几 百　種种

　　zhánlánpǐn.
　　展覽览品。

4. lí suǒ dāng rán　　fán lǎo huán tóng
　　理 所 當当 然　　　返 老 還还 童

　　dǎn xiǎo rú shǔ　　jǐng dǐ zhī wā
　　膽胆 小 如 鼠　　　井 底 之 蛙

15 "一"字的變調

78. "一"字的變調規律

① "一"的原聲調屬第一聲，在作數字、單説或
詞尾時，保持原聲調 — 第一聲。

yī　　dì-yī　　wànyī

一　　第一　　萬万一

băifen zhī yī

百 分 之 一

② 在第四聲前改唸第二聲。

yídìng　　yíqiè　　yí bùfen

一定　　一切　　一部分

③ 在第一聲、第二聲及第三聲之前改唸第四聲。

yìtiān　　yìzhí　　yìqǐ

一天　　一直　　一起

④ 夾在詞的中間唸輕聲。

kànyikàn　　xiǎngyixiǎng

看一看　　想一想

79. "一"字的變調練習

yì fān fēng shùn   yì zhī bàn jiě
一 帆 風风 順顺   一 知 半 解

yì yán wéi dìng   yì máo bù bá
一 言 爲为 定   一 毛 不 拔

yì jǔ liǎng dé   yì biǎo rén cái
一 舉举 兩两 得   一 表 人 材

yí jiàn rú gù   yí shì wú chéng
一 見见 如 故   一 事 無无 成

第15課 練習

[57] "一"字練習

1. Yí dòng bù rú yí jìng.

2. Yì zhāo bú shèn, mǎn pán jiē shū.

   Sān sī ér xíng.

3. Yì bō wèi píng, yì bō yòu qǐ.

4. Bù míng zé yǐ, yì míng jīng rén.

5. Yí rì bú jiàn, sì gé sān qiū.

6. Yì chuán shí, shí chuán bǎi.

7. Bīng dòng sān chǐ, fēi yí rì zhī hán.

8. Yì nián zhī jì zài yú chūn,

   Yí rì zhī jì zài yú chén.

第15課　練習答案

[57] "一"字練習

1. Yí dòng bù rú yí jìng.
   一 動动 不 如 一 靜。

2. Yì zhāo bú shèn, mǎn pán jiē shū.
   一 着 不 慎慎，滿 盤盘 皆 輸。

   Sān sī ér xíng.
   三 思 而 行。

3. Yì bō wèi píng, yì bō yòu qǐ.
   一 波 未 平， 一 波 又 起。

4. Bù míng zé yǐ, yì míng jīng rén.
   不　鳴鸣　則则已，一　鳴鸣　驚惊 人。

5. Yí rì bú jiàn, sì gé sān qiū.
   一　日不　見见，似隔　三　秋。

6. Yì chuán shí, shí chuán bǎi.
   一　傳传　十，十　傳传　百。

7. Bīng dòng sān chǐ, fēi yí rì zhī hán.
   冰　凍冻　三　尺，非一日之 寒。

8. Yì nián zhī jì zài yú chūn,
   一　年　之 計计 在於　春，

   Yí rì zhī jì　zài yú chén.

   一　日 之 計计 在於　晨。

16 "不"字的變調

80. "不"字的變調規律

① "不"的原聲調屬第四聲

bù shuō   bù néng   bù dǒng
不説説   不能   不懂

② 在第四聲前改唸第二聲。

bú yào   bú duì   bú guò
不要   不對对   不過过

③ 夾在詞語間唸輕聲。

chàbuduō   hǎobuhǎo
差不多   好不好

81. "不"字的變調練習

bù hǎo bú huài   bú jiàn bú sàn
不 好 不 壞坏   不 見见 不 散

bù lún bú lèi   bù wén bú wèn
不 倫伦 不 類类   不 聞闻 不 問问

bú kàng bù bēi   bù jiāo bú zào
不 亢 不 卑   不 驕骄 不 躁

bú qù bù xíng   bú niàn bú huì
不 去 不 行   不 唸 不 會会

第16課　練習

[58] "不"字練習

    1. Yī bú zuò, èr bù xiū.

    2. Làng zǐ huí tóu jīn bú huàn.

    3. Bú rù hǔ xuè, yān dé hǔ zǐ.

    4. Qiān nián bú lài, wàn nián bù huái.

    5. Yǒu péng zì yuǎn fāng lái, bú yì lè hū.

    6. Guān qí bù yǔ zhēn jūn zǐ,

        jiàn sǐ bú jiù shì xiǎo rén.

    7. Tiān yǒu bú cè fēng yún,

        rén yǒu dàn xī huò fú.

8. Píng shēng bú zuò kuī xīn shì, bàn yè qiāo

mén bù chī jīng.

第16課 練習答案

[58] "不"字練習

1. Yī bú zuò, èr bù xiū.
   一 不 做，二 不 休。

2. Làng zǐ huí tóu jīn bú huàn.
   浪 子 回 頭头 金 不 換。

3. Bú rù hǔ xuè, yān dé hǔ zǐ.
   不 入 虎 穴，焉 得 虎 子。

4. Qiān nián bú lài, wàn nián bù huái.
   千 年 不 賴赖，萬万 年 不 還还。

5. Yǒu péng zì yuǎn fāng lái, bú yì lè hū.
   有 朋 自 遠远 方 來，不 亦 樂乐乎。

6. Guān qí bù yǔ zhēn jūn zǐ,
   觀观 棋 不 語语 真 君 子，

   jiàn sǐ bú jiù shì xiǎo rén.
   見见 死 不 救 是 小 人。

7. Tiān yǒu bú cè fēng yún,
   天　有　不　測測風风 雲云，

   rén yǒu dàn xī huò fú.
   人　有　旦　夕　禍　福。

8. Píng shēng bú zuò kuī xīn shì,
   平　　生　不　做　虧亏　心　事，

   bàn yè qiāo mén bù chī jīng.
   半　夜　敲　門门 不　吃　驚惊。

17 "啊" 字的音變

一 "啊" 字在句首作爲嘆詞時唸作 a,至於它的聲
調則隨不同語氣而異。

$$\bar{\text{A}}, \text{xià xuě le!}$$
啊,下 雪 了!

$$\grave{\text{A}}, \text{hǎo ba.}$$
啊,好 吧。

一 "啊" 字在句末作爲語氣詞時它的讀音受它前面
音節 "末尾音素" 的影響而發生變化。

82. "啊" 字在 a e i ü 後
唸成 ia (ya)　寫成 "呀"。

$$\text{Zhēn dà ya!}$$
真 大 呀!

$$\text{Wǒ è ya!}$$
我 餓餓 呀!

$$\text{Zhēn shì nǐ ya!}$$
真 是 你 呀!

$$\text{Kuài qù ya!}$$
快 去 呀!

83. "啊" 字在 o u 後

唸成 ua (wa)　　寫成 "哇"。

　　　　　　Duō hǎo wa!
　　　　　　多　好　哇！

　　　　　　Zǒu wa!
　　　　　　走　哇！

84.　"啊" 字在 n 後

　　唸成 na　　寫成 "哪"

　　　　　　Kě yào xiàoxīn na!
　　　　　　可要　小心　哪！

　　　　　　Tā zhēn shì ge hǎo rén na!
　　　　　　他　真　是　個个　好　人　哪！

85.　"啊" 字在 ng 後

　　唸成 nga　　仍寫 "啊"。

　　　　　　Kuài jiǎng a! (nga!)
　　　　　　快　講讲　啊！

　　　　　　Xíng bu xíng a! (nga!)
　　　　　　行　不　行　啊！

86.　"啊" 字在 zhi chi shi ri er 後唸成近
　　似 ra 音，在 zi ci si 後則唸成近似 za, ca-
　　或 sa 音。

　　仍寫 "啊"

Wǒ de ér a! (ra!)
我 的 兒儿 啊！

Shénme shì a! (ra!)
甚什 麼么 事 啊！

Chī bu chī a! (ra!)
吃 不 吃 啊！

Nǐ lái guò jǐ cì a! (ca!)
你 來来過过 幾几次 啊！

Zhēn shì guāi háizi a! (za)
真 是 乖 孩子 啊！

注意：—"啊"字在 a e i ü o u 及 n 後，音變
字也變，並且習慣上都寫字變後之"呀"
"哇""哪"，故發音不會有困難；但
在 ng zhi chi shi ri er zi ci 及 si 後字
不變，音卻有變則須特別注意。

—大多數"啊"之音變都是將"啊"之前面
音節的"末尾音素"作爲"啊"的聲母連
讀而成，這音變的程度和說話者的語氣、
感情、語速等有關，勿刻意連讀，應很自
然的唸出來，目的只是在於更好地表達感
情。

87. "啊"字的音變練習

Bié pà ya!
别 怕 呀！

Kuài hē ya!
快 喝 呀！

Duì ya!
對对 呀！

Duō měi de yí kuài yù ya!
多 美 的 一 塊块 玉 呀！

Zhēn qiǎo wa!
真 巧 哇！

Zhè cái shì wǒ yào de shū wa!
這这 才 是 我 要 的 書书 哇！

Duō wēixiǎn na!
多 危險险 哪！

wǒ pà pàng a! (nga)
我 怕 胖 啊！

Bié chū ěr fǎn ěr a! (ra!)
别 出 爾尔 反 爾尔 啊！

Duō dà de gōngsī a! (sa)
多 大 的 公司 啊！

Nǐ zhǐ gěi wǒ yì zhī a! (ra)
你 祇只 給给 我 一 隻只 啊！

[59] "啊"字的基本練習

1. Kuài huà a! (　　)

2. Duō piàoliang de chē a! (　　)

3. Zhēn qíguài a! (　　)

4. Chū tàiyang hái dài sǎn, nǐ shì qiú

　 yǔ a! (　　)

5. Zhēn gāo a! (　　)

6. Bié zhǔ de tài shú a! (　　)

7. Tiān a! (　　)

8. Chàng a! (　　) tiāo a! (　　)

9. Wǒ de nǚ'ér a! (　　)

10. Bié wàng le dài yàoshi a! (　　)

11. Zhè shì shénme zì a! (　　)

[60] "啊"字的短句練習

1. Yīngxióng wú yòng wǔ zhī dì a! (　　)

2. Tiān xià wú bú sàn zhī yànxí a! (　　)

3. Zuì wēng zhī yì bú zài jiǔ a! (　　)

4. Bǎi wén bù rú yí jiàn a! (　　)

5. Yì xīn bù néng liǎng yòng a! (　　)

6. Qīng guān nán duàn jiāwù shì a! (　　)

7. Bā zì hái méi yì piě ne.

[59] "啊" 字的基本練習

1. Kuài huà a! (ya!)
   快   畫画 呀！

2. Duō piàoliang de chē a! (ya)
   多   漂亮   的車车 呀！

3. Zhēn qíguài a! (ya)
   真   奇怪 呀！

4. Chū tàiyang hái dài sǎn,   nǐ shì
   出   太陽阳 還还帶 傘伞，你 是

   qiú yǔ a! (ya!)
   求 雨 呀！

5. Zhēn gāo a! (wa!)
   真   高 哇！

6. Bié zhǔ de tài shú a! (wa!)
   別 煮 得 太 熟 哇！

7. Tiān a! (na!)
   天   哪！

8. Chàng a! (nga!) tiào a! (wa!)
   唱   啊！   跳 哇！

9. Wǒ de nǚ'ér a! (ra!)
   我 的 女兒儿啊！

10. Bié wàng le dài yàoshi a! (ra!)
   别 忘 了帶 鑰钥匙 啊！

11. Zhè shì shénme zì a! (za!)
   這这 是 甚什 麼么 字 啊！

[60] "啊"字的短句練習

1. Yīngxióng wú yòng wǔ zhī dì a! (ya!)
   英雄 無无用 武 之 地 呀！

2. Tiān xià wú bú sàn zhī yànxí a! (ya!)
   天 下無无不 散 之 宴席 呀！

3. Zuì wēng zhī yì bú zài jiǔ a! (wa!)
   醉 翁 之 意不 在 酒 哇！

4. Bǎi wén bù rú yí jiàn a! (na!)
   百 聞闻 不 如 一 見见 哪！

5. Yì xīn bù néng liǎng yòng a! (nga!)
   一 心 不 能 兩 用 啊！

6. Qīng guān nán duàn jiāwù shì a! (ra!)
   清 官 難难 斷断 家務务事 啊！

7. Bā zì hái méi yì piě ne.
   八 字 還还 没 一 撇 呢。

18　　　輕聲

88. 輕聲的唸法

—一個音節唸得較輕較短，叫做輕聲，輕聲不標調號。

—通常它失去原有的聲調，其音之高低根據前一音
　節的"最後音"之高低而定。

① 在第一聲字後

　　　第一聲是 5→5，最後音是 5 通常輕聲低
　一度即發 4 音。

　　第一聲　　　輕聲

```
5 ————
4 ————      ·          唱起來就好像
3 ————                 5 5 - 4
2 ————
1 ————
```

　　　xiānsheng ＿　　　fāngpian ＿
　　　先　生　　·　　　方　便　　·

　　　qīngchu ＿　　　guānxi ＿
　　　清　楚　　·　　關　係
　　　　　·　　　　　　　　·

② 在第二聲字後

　　　第二聲是 3→5，最後音是 5 通常輕聲低
　一度即發 4 音。

第二聲　　　輕聲

唱起來就好像
3 <u>5</u> - <u>4</u>

máfan　　　　　piányi
麻煩煩　／ ．　便宜　　／ ．

péngyou　　　　míngbai
朋　友　／ ．　明白　　／ ．

③ 在第三聲字後

　　第三聲是 2→1→<u>4</u>，最後音是 4，輕聲低
一度，即發 3 音。

第三聲　　　輕聲

唱起來就好像
2 1 <u>4</u> - <u>3</u>

xiǎojie　　　　xǐhuan
小　姐　√ ．　喜歡欢　√ ．

zhǔyi　　　　　wǎnshang
主意　√ ．　　晚　上　√ ．

④ 在第四聲字後

　　第四聲是 5→<u>1</u>，最後音是 1，但不再低一

114－課18

度仍發 1 音是因爲普通話裡音域範圍介於 1-
5 之間，故不再低於 1。

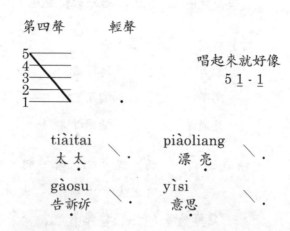

第四聲　　　輕聲

唱起來就好像
5 1 - 1

tiàitai　　　piàoliang
太太　　　　漂亮

gàosu　　　yìsi
告訴诉　　　意思

⑤ 夾在詞中間的輕聲

多半介於前一字的"最後音"和後一字的

"起始音"之間但偏於後者。

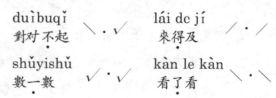

duìbuqǐ　　　lái dc jí
對对不起　　　來得及

shǔyishǔ　　　kàn le kàn
數一數　　　看了看

89. 甚麽字唸輕聲

一般規律如下：

① 助詞

－結構助詞　　的、得、地

我的　　　✓·　　　你的　　　✓·

吃得飽飽　一·✓　　睡得好　　＼·✓

慢慢兒地　＼　一·　輕輕輕輕兒地　一　一·

一時態助詞　　着、了、過

　　　拿着　　／·　　　寫写着　　✓·

　　　忘了　　＼·　　　溜了　　一

　　　見過过　＼·　　　喝過过　一

一語氣助詞　　嗎、呢、吧、嘛、啊、哪、
　　　　　　　　呀、哇……

　　　您好嗎吗？✓·你呢？　✓·

　　　好吧　　✓·　　說说嘛　　一·

　　　聽听啊！一·　　天哪！

　　　來来呀　　／·　　走哇　　✓·

② 詞尾　　們、子、頭、麼

　　　我們们　✓·　　　人們们　✓·

　　　桌子　　一·　　　椅子　　✓·

　　　木頭头　＼·　　　枕頭头　✓·

　　　這麼么　＼·　　　那麼么　＼·

③ 方位詞　上、下、裡、內、外、邊、面等

　　　地上　　＼·　　　底下　　✓·

屋裡里　　ー・　　　房內　　／・

室外　　　＼・　　　外邊边　　＼・

裡里面　　√・

④ 趨向動詞　　來、去、上、下、起來

回來来　　／・　　　出去　　ー・

走上去　　√・・　　　掉下來来　　＼・・

站起來来　　＼・・

⑤ 疊詞的第二個音節

聽聽听　　ー・　　　嚐嚐尝　　／・

想想　　　√・　　　謝謝谢　　＼・

馬馬马虎虎　√・ー・　清清楚楚　　ー・√・

哪裡哪裡里　√・√・　考慮考慮虑　　√・√・

⑥ 夾在詞中間的"一"和"不"字

聞一聞闻　／・／　　笑一笑　　＼・＼

喝不喝　　ー・ー　　去不去　　＼・＼

⑦ 某些稱呼和五官

爸爸　　　＼・　　　媽媽妈　　ー・

姐姐　　　√・　　　妹妹　　　＼・

鼻子　　　／・　　　耳朵　　　√・

眉毛　　　／・　　　下巴　　　＼・

117－課18

⑧ 習慣上唸輕聲的詞語，數量很多，也無一定的
　規律，只有多聽、多講、多加練習才能掌握。

認认識识 ＼ ·	運运氣气 ＼ ·
招呼 — ·	生意 — ·
地方 ＼ ·	怎麼么 ✓ ·
這这麼么 ＼ ·	那麼么 ＼ ·
沒關关係系 ／ — ·	不客氣气 ／ ＼ ·
不麻煩烦 ＼ ／ ·	哪兒儿的話话 ✓ · ＼

90. 輕聲的作用

① 漢字相同，組成音節的聲母和韻母也相同，但
　由於讀音輕重不同，詞義或詞性便有所不同。

大意
　　dàyì ＼ ＼　(主要的意思)
　　dàyi ＼ ·　(疏忽)

東西
　　dōngxī — —　(指方向)
　　dōngxi — ·　(指物品)

練练習习
　　liànxí ＼ ／　(名詞)
　　liànxi ＼ ·　(動詞)

② 組成音節的聲母和韻母相同，由於唸輕聲與
　否，漢字完全不同。

yǎnjing ✓ ·　　　　yǎnjìng ✓ ＼
眼 晴　　　　　　　眼 鏡镜

zhīdao	— .	zhídào	／ ＼
知道		直到	
shétou	／ .	shétóu	／ ／
舌頭头		蛇頭头	
mǎtou	∨ .	mǎtóu	∨ ／
碼码頭头		馬马頭头	

　　以上是唸輕聲的一般規律和唸法，事實上句子中之輕聲常隨說話人的意願、重點、句義等有所變化，甚至應唸輕聲而不發輕聲，也即句子的語調極靈活，但基本規律必須先掌握，基礎打好才能"靈活"。

第18課　練習

[61] 第一聲字後

jīngshen — ·　　shēngyi — ·

shīfu — ·　　dāying — ·

[62] 第二聲字後

shíhou ／· róngyi ／·

juéde ／· hútu ／·

[63] 第三聲字後

mǎimai ✓· zěnme ✓·

nǎli ✓· jiǎngjiu ✓·

[64] 第四聲字後

kèren ＼. bùfen ＼.

shìqing ＼. nàme ＼.

[65] 夾在詞中間的輕聲

chà bu duō ＼· ―

liǎo bu qǐ ✓· ✓

bù de liǎo ＼· ✓

shì yi shì ＼ · ＼

wěn yi xià ✓ · ＼

kàn bu qǐ ＼ · ✓

[66] 分辨練習

1　dìdào　＼ ＼
　　dìdao　＼ ·

2　rénjiā　／ ―
　　rénjia　／ ·

3　zhǔyì　✓ ＼
　　zhǔyi　✓ ·

第18課　練習答案

[61] 第一聲字後

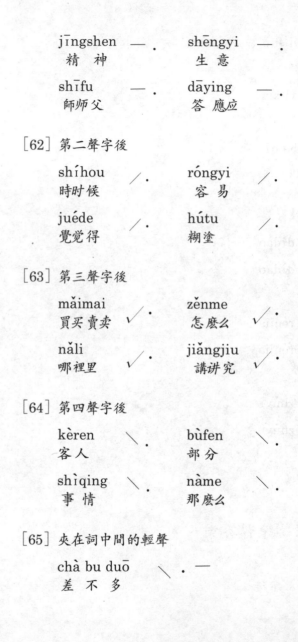

jīngshen —.   shēngyi —.
精　神　　　　　生　意

shīfu —.   dāying —.
師师父　　　　　答　應应

[62] 第二聲字後

shíhou ╱.   róngyi ╱.
時时候　　　　　容　易

juéde ╱.   hútu ╱.
覺觉得　　　　　糊塗

[63] 第三聲字後

mǎimai ╲.   zěnme ╲.
買买賣卖　　　　怎麼么

nǎli ╲.   jiǎngjiu ╲.
哪裡里　　　　　講讲究

[64] 第四聲字後

kèren ╲.   bùfen ╲.
客人　　　　　　部分

shìqing ╲.   nàme ╲.
事　情　　　　　那麼么

[65] 夾在詞中間的輕聲

chà bu duō ╲.—
差　不　多

liǎo bu qǐ
了 不 起   ✓ · ✓

bù de liǎo
不 得 了   \ · ✓

shì yi shì
試試 一 試試   \ · \

wěn yi xià
吻 一 下   ✓ · \

kàn bu qǐ
看 不 起   \ · ✓

[66] 分辨練習

1
   dìdào　\ \　地道　(地下隧道)

   dìdao　\ ·　地道　(真正的、純粹)

2
   rénjiā　/ —　人家　(住戶、家庭)

   rénjia　/ ·　人家　(別人)

3
   zhǔyì　✓ \　主義义

   zhǔyi　✓ ·　主意

19

dǔ chē 堵車 *tǒng chē*
sè 塞車
sāi

總複習

91. 聲母 (21個)和特定聲母 (2個)

```
b   p    m    f    d   t   n   l
g   k    h         j   q   x
zh  ch   sh   r    z   c   s
知  切   是伸  余
         y         w          (特定聲母)
        (e)       (woo)
```

92. 韻母 (共36個)

單韻母　a o e i u ü ← 2音　(基本韻母)

　　　　er

複韻母　ai ei ao ou

　　　　ia ie iao iou (iu)

　　　　ua uo uai uei (ui)

　　　　üe

鼻韻母　an en ang eng ong　(基本韻母)

　　　　ian in iang ing iong

　　　　uan uen (un) uang ueng

　　　　üan ün

93. 整體認讀音節、零聲母音節以及用 y、w
改爲的音節

　　以下的音節毋需相拼，作爲整體請一下子唸出
來。

- zhi　chi　shi　ri　zi　ci　si　ji　qi　xi

- a　o　e　er　ai　ao　ou　an　en　ang

- yi　ya　ye　yao　you　yan　yin　yang　ying　yong

- wu　wa　wo　wai　wei　wan　wen　wang　weng

- yu　yue　yuan　yun

94. 聲調

　　以下的例子都是順着第一聲到第四聲的次序唸
的。

　　　　唱　　5 - 5　　3 - 5　　2 - 1 - 4　　5 - 1
　　　　　　　　ā　　　　á　　　　ǎ　　　　à

　①　　　zhōng　guó　hěn　dà
　　　　　中　　　國国　很　　大

　　　　　shān　hé　měi　lì
　　　　　山　　河　美　　麗丽

②
做人要　　　　光　明　磊　落

guāng　míng　lěi　luò

不搞　　　陰陰　謀谋　詭诡　計计

yīn　móu　guǐ jì

③
每天鍛鍊身體，使您　身　強　體体　健

shēn qiáng tǐ　jiàn

工作起來　　精　神　百　倍

jīng shén bǎi bèi

④
學普通話並不難，只要您注意 高　揚扬　轉转　降

gāo yáng zhuǎn jiàng

發準　陰陰　陽阳　上　去　四個聲調

yīng yáng shǎng qù

把　諸诸　如　此　類类 的詞

zhū　rú　cǐ　lèi

多　　讀读　幾几　遍

duō　dú　jǐ　biàn

只要能 堅坚　持　努　力　一定能很快學會

jīan chí nǔ lì

在學習過程中，您會感到　非　常　有　趣

fēi cháng yǒu qù

學會以後，您會發現對您　非　常　有　用

fēi cháng yǒu yòng

　　現在我們已經把學拼音部分全部學完了，希望
能起舉一反三、融會貫通的作用，如果您覺得這部

分對您學拼音有些幫助，將是我最大的快樂。

　　最後謹祝您學習成功、事業順利，萬事勝意節
節高！

第19課　總複習練習

[67] 聲調練習　　　　　　　　　　　　　　見 P. 144

1.　xī　hú　jǐng　zhì

　　tiān　rán　měi　lì

　　shān　míng　shuǐ　xiù

　　huā　hóng　liǔ　lǜ

2.　sān　guó　yǎn　yì

　　　　　　　　裡的人物

　　　　　yīng　xióng　hǎo　hàn

　　個個都是

3. 　　　　xiōng huái guǎng kuò
諸葛亮

　　　　shēn móu yuǎn lǜ

　　　　xīn míng yǎn liàng

4. 　　　　yāo mó guǐ guài
一切

　　　　tān tú xiǎng shòu
都

　　　　shēng huó fǔ bài

　　　　huāng táng kě xiào
過着　　　　　　　　　　的生活
　　jiāng lái　　　kuǎ diào
　　　　一定

[68] 證件　　　　　　　　　見 P. 146

lǚyóu zhèngjiàn　　　hùzhào

qiānzhèng　　　　shēnfènzhèng

shēnfèn zhèngmíng shū

huí xiāng zhèng

[69] 生日   見 P. 146
shēngrì kuàile   shēntǐ jiànkāng

shòu bǐ nán shān   fú rú dōng hǎi

[70] 喪事   見 P. 146
rén sǐ bù néng fù shēng

jié āi shùn biàn

qǐng duōduo bǎozhòng

[71] 節日   見 P. 146
Shèngdàn kuàilè

xīnnián kuàile

Gōng xǐ fācái.

[72] 愛人 見 P. 147

[72] 愛人

bái mǎ wángzi

zuànshí Wáng laǒ wǔ

zhēn mìng tiānzǐ

mèng zhōng qíngrén

[73] 婚姻 見 P. 147

[73] 婚姻

jīn tóng yù nǚ

láng cái nǚ mào

hūn yīn měi mǎn

bái tóu xié lǎo

[74] 旅行 見 P. 148

[74] 旅行

yí lù píng ān

yí lù shùn fēng

[75] 開業 見 P. 148

dà zhǎn hóng tú

yì fān fēng shùn

wàn shì rú yì

mǎ dào gōng chéng

[76] 成語(三字) 見 P. 148

1. Qīn xiōng dì, míng suàn zhàng.

2. Xiān xiǎo rén, hòu jūn zǐ.

3. Rén bǐ rén, qì sǐ rén.

4. Nǎo yi nǎo, lǎo yi lǎo,

xiào yi xiào, shào yi shào.

[77] 成語(四字)　　　　　　　　　　　見 P. 149

1. Dào gāo yì chǐ, mó gāo yí zhàng.

2. Yuǎn zài tiān biān, jìn zài yǎn qián.

3. Fó yào jīn zhuāng, rén yào yī zhuāng.

4. Shàng tiān wú lù, rù dì wú mén.

5. Wàn shì jù bèi, zhǐ qiàn dōng fēng.

6. Shì bié sān rì, guā mù xiāng kàn.

[78] 成語(五字)　　　　　　　　　　　見 P. 149

1. Shì shàng wú nán shì, zhǐ pà yǒu xīn rén.

2. Ruò yào rén bù zhī, chú fēi jǐ mò wéi.

3. Qiān lǐ sòng é máo, lǐ qīng rén yì zhòng.

4. Rén wàng gāo chù zǒu, shuǐ wàng dī chù liú.

5. Sān ge chòu pí jiàng, dǐng ge Zhūgé
   Liàng.

6. Liú bèi jiè Jīng zhōu, yí qù bù huí tóu.

[79] 成語(六字)　　　　　　　　見 P. 150
1. Yǒu zhì zhě shì jìng chéng.

2. Xīn jǐ bù rú bǐ jǐ.

3. Xì fǎ rén rén huì biàn, gè yǒu qiǎo miào

   bù tóng.

4. Zhǐ yǒu jǐn shàng tiān huā, nǎ yǒu xuě

   zhōng sòng tàn.

5. Zhǐ xǔ zhōu guān fàng huǒ, bù zhǔn bǎi

xìng diǎn dēng.

6. Mǎn kǒu rén yì dào dé, dù lǐ nán dào nǔ

chāng.

[80] 成語(七字)　　　　見 P. 151

1. Wú shì bù dēng sān bǎo diàn.

2. Cǐ dì wú yín sān bǎi liǎng.

3. Jìng jiǔ bù chī chī fá jiǔ.

4. Qíng rén yǎn lǐ chū Xī shī.

5. Zuì wēng zhī yì bú zài jiǔ.

6. Bié rén qiú wǒ sān chūn yǔ, wǒ qù qiú rén

liù yuè shuāng.

7. Féng rén qiě shuō sān fēn huà, wèi kě

quán pāo yí piàn xīn.

8. Shú dú Táng shī sān bǎi shǒu, bú huì zuò

shī yě huì yín.

[81] 数字　　　　　　　　　　　見 P. 152

1. Yī èr sān sì wǔ liù qī bā jiǔ shí bǎi qiān wàn yì.

2. Sān fēn zhī yī (1/3)　　　líng diǎn liù (0.6)

bǎi fēn zhī bā (8%)

3. Yī wǔ liù, yī wǔ qī, yī bā yī jiǔ èr shí yī.

èr wǔ liù, èr wǔ qī, èr bā èr jiǔ sān shí yī.

sān wǔ liù, sān wǔ qī, sān bā sān jiǔ sì shí yī.

sì wǔ liù, sì wǔ qī, sì bā sì jiǔ wǔ shí yī.

wǔ wǔ liù, wǔ wǔ qī, wǔ bā wǔ jiǔ liù shí yī.

liù wǔ liù, liù wǔ qī, liù bā liù jiǔ qī shí yī.

qī wǔ liù, qī wǔ qī, qī bā qī jiǔ bā shí yī.

bā wǔ liù, bā wǔ qī,bā bā bā jiǔ jiǔ shí yī.

jiǔ wǔ liù, jiǔ wǔ qī, jiǔ bā jiǔ jiǔ yì bǎi yī.

[82] 多音字練習   見 P. 174

　1.當当　心，別上當当。
　　Dāng　　　　dàng.

　2.北京、上海都是大都市。
　　　　　　　dōu　dū

　3.天氣悶闷　熱热，叫人悶闷　得慌。
　　　　　mēn　　　　　　　mèn

　4.經经　過过　調调　查，決定先調调　解，
　　　　　　　　　diào　　　　　　　tiáo

　　儘尽　量爭取庭外和解。

136－課19

5.下班後后，聽聽听 音樂乐，感到
　　　　　　　　　yuè

很快樂乐。
　　lè

6.中、港、台會会 計计 師师 一起開开 會会 很難难 得。
　　kuài　　　　　　　　　　huì

7.到超級级 市場场 買买 東东 西，又方便又便宜。
　　　　　　　　　　　　　　biàn　pián

8.我們们 早就空出房間间 等他來，結结 果空歡欢
　　　　　　kòng　　　　　　　　kōng

喜一場场。

9.我太太要把雙双 人床靠窗放，我要靠牆墙。
　　　　shuāng chuáng chuāng　　qiáng

最後后 怎麼么 樣样 ?那還还 用説说。

10. 曾先生曾經经 去過过 鄭郑 州兩次。
　Zēng　céng　　　　Zhèng

11.賈贾 佳的病假條条 很快被發发 現现 是假的。
　Jiǎ　jiā　jià　　　　　　　　　　jiǎ

12.他每天步行去銀银　行上班。
　　　　xíng　háng

13.到期不還还 書书，要罰罚 款，還还 要停止借
　　　huán　　　　　　hái

閲阅 兩周。

14.這这 次考得不錯错，還还 得繼继 續续
　　　　　de　　　děi

努力，才能得到更好的成績。

                dé

15.出 差 差點点 兒儿 忘了帶带 文件。

chāi chà

16.數数 學学 系來来 的同學学 最多，

shù

    請请 你數数 一下來了多少學学生。

              shǔ

17.請请 你叫小喬乔 立刻去教室，焦教授決定

            Qiáo   jiào Jiāo jiào

    親亲 自教他。

      jiāo

18.我國国 地底下埋藏着豐丰 富的寶宝 藏，

                cáng   zàng

    有待發发 掘。

19.這这 孩子個个 性強，脾氣气 犟，不要勉強他。

             qiáng   jiàng   qiǎng

20.弟弟說说 的 的確确 不錯错 ，我們们 走了兩

            de dí

    個个 小時时 才到達达 目的地。

                    dì dì.

[83] 易混淆字音練習   見P.177

1.買买 機机 票可以付支票。

     jī   zhī

2.司機机 一年四季開开 車车 很辛苦。
　Sījī　　　　kāijì

3.這这 位歌星除了歌藝艺 不錯错， 還还
　　　　　　　gēxīng

很有個个 性。
　　　gèxìng.

4.福建漆器、江西瓷器名聞闻 世界。
　　　qī　　　　cí

5.不得已要動动 手術术，先要辦办 住院手續续。
　　　　　　　shù　　　　　　　　　xù

6.嘴裡里 有舌頭头，不是石頭头，更不是蛇頭头。
　　　shétou　　　shítou　　　　shétóu

嚇吓 死人了。

7.通訊讯 方法中以通信最普遍。
　xùn　　　　　xìn

8.佈告板上已通知各部門门 要在月底前交總总
　Bù　　　　　　　bù

結结 報报告。
　　　bào

9.參参 觀观 展覽览 會会 必須守秩序排隊队，檢检
　　　　　　　　　　　　xū　xù

票入場场。

10.關关 於于 這这 件事情我也説説 不清，最好問问
　　　　　　　　　qing　　　qīng

老秦。
　Qín.

11.比賽賽　一獲获　勝胜，獎奖　章、獎奖　狀、
　　　　　　　　　　zhāng　　　　　zhuàng

獎奖　金一齊齐　來来。

12.這这　間间　技術术　學学　校不收寄宿生，只能走
　　　　　　　jìshù　　　　　　　　jìsù

讀读。

13.參参　加宴會会　衣着打扮很重要，我是一竅窍　不
　　　　　　　　　　　　　　　　　　　　zhuó

通，無无　從着手。
　　　　　　zhuó

14.別着急，還还　早着呢。
　　zháo　　　　zhe

15.我的連连　襟現现　在正經经　營营　金銀银
　　　　　jīn　　　　jīng yíng jīn yín

珠寶宝　生意。

16.校方規规　定男生穿深藍蓝　色上裝，長褲，
　　　　　　nán　　　lán

剃光頭头，女生穿淺綠绿　色祺袍，剪短髮发。
　　　　nǔ　　　　lǜ

17.沒時时　間间　休息了，打聽听　消息要緊緊。
　　　　　　xiū　　　　　　xiāo

18.白先生請请　客花了好幾几　百，錢錢　先生
Bái　　　　　　　　　　　　bǎi Qián

花了好幾几　千。
　　　　　qiān.

19. 劉刘 先生請请 柳先生下樓楼，説说 成請请
　　Liú 　　　　 Liǔ 　　 lóu

你先下流，大家笑得直不起腰。
　　　liú

20. 抓緊紧 時时 間间，多學学 習习，多
　　　　　shíjiān 　　　 xuéxí

實实 踐践，理想一定會会 實实現现。
shíjiàn 　　　　　　 shíxiàn

[84] 普通話廣東話詞組對比練習㈠　　　　　　見 P. 180

1. xièxie - jièjie 　　　 pínghéng - píngxíng

2. yǒuxiàn - yǒuhàn 　　 wǔnǚ - mǔnǚ

3. pāiqiú - páiqiú 　　　 wǎnqī - mǎnqī

4. dàoguò - dùguò 　　　 biànzi - piànzi

5. jiǎnsù - gǎnchù 　　　 wěishù - měishù

6. sōngbǎi - chóngbài 　　 fāhuī - huāfèi

7. wánquán - yuánquán 　 dàshà - dàxiā

8. bùwèi - pùwèi   yóuyuán - yǒuyuán

9. dùzi - tùzi   wěiqū - huīhuò

10. liúmáng - liúwáng   lǐfà - fēifǎ

[85] 普通話、廣東話詞組對比練習㈡   見 P. 181

1.給给 孩子買买 鞋子，大一點点 兒儿 不會会
　　　　hái　　　xié

錯错 。

2.其實实 佛學学 很科學学 。
　　　　　fó　　　kē

3.聽听 到這这 個个 不幸的消息，簡简 直不信是真
　　　　　　　　　xìng　　　　　　　xìn
的。

4.談谈 戀恋 愛爱 ，不是亂乱 愛爱 ，應应
　　　liàn　　　　　　luàn
該该 慎重考慮虑。

5.我只要一根蔥，他給给 了我一斤蔥。
　　　　　gēn　　　　　　　jīn

6.內心雖虽 急，但是還还 得耐心等待。
　Nèi　　　　　　　nài

7.考試试 包括筆笔 試试 ，口試试，能通過过 才是好事。
　Kǎo　　　　　　kǒu　　　　　　　hǎo

142－課19

8.不是肯不肯的問问 題題，而是能不能狠下心去做。
　　　　kǒn　　　　　　　　　hǒn

9.白酒太兇，我只能喝啤酒。
　Bái　　　　　　pí

10.雖虽 然希望不大，請请 仍舊旧 按原來来 計计 劃划
　　　　　　　　　　　　rénjiù

　營营 救他。
　yíngjiù

11.舅舅快救我。
　Jiù　jiù

12.我們们 的老闆板 可說说 是模範范 夫妻
　檔档，男的很和藹藹，女的很可愛爱。
　　　　　　hé'ǎi　　　　　kě'ài

13.你爲为 了我受盡尽 委屈，真過过 意不去。
　　wēi le　　　　　wěiqū

14.花這这 麼么 多錢钱 買买 簡简 直沒價价
　　　　　　　　　　jiǎnzhí　jiàzhí
　值的東东 西，真不值得。

15.由於于 父親亲 沒立遺遗 囑嘱，子女爲为 着爭
　　　　　　　　yízhǔ　　　　wèizhe
　遺遗 產产 打官司的案子多不勝胜 舉举。

16.我每星期去商科學学 校上課课 兩次。
　　　　　　shāngkē　　shàngkè

17.愛爱 人不是外人，也不是壞坏 人，但有可能成
　Ài　　　　wài　　　huài

爲为　敵敵　人。小心小心。
　　　dí

18.我没说说　错错　呀，閻阎　王派来的欽钦　差大臣
　　　　　　　　　　　　　　　　qīn　　chén

當当　然是陰阴　差大神囉。
　　　yīn　　shén

19.聖圣　旨下：奉天順顺　運运，皇帝詔诏　曰，欽钦
　　　　　fèng　yùn　　zhào　qīn

此。謝谢　主龍龙　恩。
　　　　　　　ēn

20.一萬万不是富翁，希望你成爲为　未來来　的億亿
　Yí　　　　　　　　　　　　　　　　yì

萬万　富翁。

第19課　總複習練習答案

[67] 聲調練習　　　　　　　　　　　見P.127

1. xī hú jǐng zhì
　西　湖　景　緻

　tiān rán měi lì
　天　然　美　麗丽

　shān míng shuǐ xiù
　山　明　水　秀

huā　hóng　liǔ　lǜ
花　紅紅　柳　綠綠

2. sān　guó　yǎn　yì
三　國国　演　義义 裡的人物

　　　　　　　yīng xióng hǎo hàn
個個都是　英　雄　好　漢汉

3. 　　　　xiōng huái guǎng kuò
諸葛亮 胸　懷怀 廣广 闊阔

　　　　shēn　móu yuǎn lǜ
　　　　深　謀谋 遠远 慮虑

　　　　xīn　míng yǎn liàng
　　　　心　明　眼　亮

4. 　　　　yāo　mó　guǐ　guài
一切　妖　魔　鬼　怪

　　　　tān　tú xiǎng shòu
都　貪贪 圖图 享　受

　　　　shēng huó fǔ bài
　　　　生　活 腐 敗败

　　　　huāng táng kě xiào
過着 荒　唐　可　笑 的生活

　　　　jiāng lái　　kuǎ diào
　　　　將将 來来 一定 跨　掉

[68] 證件　　　　　　　　　　　　　　見 P. 128

lǚyóu zhèngjiàn　　　　hùzhào
旅遊　證证件　　　　護护照

qiānzhèng　　　　　　　shēnfènzhèng
簽签證证　　　　　　　身份證证

shēnfèn zhèngmíng shū
身份　證证明　書书

huí xiāng zhèng
回　鄉乡　證证

[69] 生日　　　　　　　　　　　　　　見 P. 129

shēngrì kuàile　　　shēntǐ jiànkāng
生日　快樂　　　　身體体　健康

shòu bǐ nán shān　　　fú rú dōng hǎi
壽寿 比 南 山　　　福 如 東 海

[70] 喪事　　　　　　　　　　　　　　見 P. 129

rén sǐ bù néng fù shēng
人 死 不 能 復复生

jié āi shùn biàn
節节哀 順顺 便

qǐng duōduo bǎozhòng
請请 多多　保重

[71] 節日　　　　　　　　　　　　　　見 P. 129

Shèngdàn kuàilè
聖誕誕　快樂乐

xīnnián kuàile
新年　快樂乐

Gōngxǐfācái
恭喜　發发財財

[72] 愛人　　　　　　　　　　　　　　　見 P. 130

　　bái mǎ　wángzi
　　白 馬马　王子

　　zuànshí Wáng laǒ wǔ
　　鑽钻石 王　老 五

　　zhēn mìng tiānzǐ
　　真　命　天子

　　mèng zhōng qíngrén
　　夢梦　中　情人

[73] 婚姻　　　　　　　　　　　　　　　見 P. 130

　　jīn tóng yù nǚ
　　金　童 玉 女

　　láng cái nǚ mào
　　郎　才 女 貌

　　hūn yīn měimǎn
　　婚　姻 美滿

　　bái tóu xié lǎo
　　白 頭头 偕 老

見 P. 130

[74] 旅行

yí lù píng ān
一 路 平 安

yí lù shùn fēng
一 路 順順 風风

見 P. 131

[75] 開業

dà zhǎn hóng tú
大 展 鴻鸿 圖图

yì fān fēng shùn
一 帆 風风 順顺

wàn shì rú yì
萬万 事 如 意

mǎ dào gōng chéng
馬马 到 功 成

見 P. 131

[76] 成語(三字)

1. Qīn xiōng dì, míng suàn zhàng.
   親亲 兄 弟，明 算 帳帐。

2. Xiān xiǎo rén, hòu jūn zǐ.
   先 小 人，後后 君 子。

3. Rén bǐ rén, qì sǐ rén.
   人 比 人，氣气 死 人。

4. Nǎo yi nǎo, lǎo yi lǎo,
   惱恼 一 惱，老 一 老，

xiǎo yi xiǎo, shào yi shào.
笑　笑・少　少・

[77] 成語(四字)　　　　　　　　　見 P. 132

1. Dào gāo yì chǐ, mó gāo yí zhàng.
   道　高　一尺，魔　高　一　丈。

2. Yuǎn zài tiān biān, jìn zài yǎn qián.
   遠远　在　天　邊边，近　在　眼　前。

3. Fó yào jīn zhuāng, rén yào yī zhuāng.
   佛　要　金　裝，　人　要　衣　裝。

4. Shàng tiān wú　lù, rù dì wú mén.
   上　天　無无　路，入　地　無无　門。

5. Wàn shì jù bèi, zhǐ qiàn dōng fēng.
   萬万　事　俱　備备，只　欠　東东　風风。

6. Shì bié sān rì, guā mù xiāng kàn.
   士　別　三　日，刮　目　相　看。

[78] 成語(五字)　　　　　　　　　見 P. 132

1. Shì shàng wú　nán shì, zhǐ pà yǒu xīn
   世　上　無无　難难　事，只　怕　有　心

   rén.

   人。

2. Ruò yào rén bù zhī, chú fēi jǐ mò wéi.
   若　要　人　不　知，除　非　己　莫　爲为。

3. Qiān lǐ sòng é　máo, lǐ　qīng rén yì
   千　里　送　鵝鹅　毛，禮礼　輕轻　人　意

zhòng.
重。

4. Rén wàng gāo chù zǒu, shuǐ wàng dī chù liú.
　人　往　高　處处走，水　往　低　處处流。

5. Sān ge　chòu pí jiàng, dǐng ge　Zhū gé
　三　個个臭　皮　匠，頂顶　個个諸诸葛

Liàng.
亮。

6. Liú bèi jiè Jīng zhōu, yí qù bù huí tóu.
　劉刘備备借　荊　州，一　去不　回　頭头。

[79] 成語(六字)　　　　　　見 P. 133

1. Yǒu zhì zhě shì jìng chéng.
　有　志　者事　竟　成。

2. Xīn jì　bù rú bǐ　jì.
　心　記记不　如　筆笔記记。

3. Xì　fǎ rén rén huì biàn, gè yǒu qiǎo miào
　戲戏法人　人　會会變变，各　有　巧　妙

bù tóng.
不　同。

4. Zhǐ yǒu jǐn shàng tiān huā, nǎ yǒu xuě
　只　有　錦锦上　　添　花，哪有　雪

zhōng sòng tàn.
　中　送　炭。

5. Zhǐ xǔ zhōu guān fàng huǒ, bù zhǔn bǎi
　只　許许州　官　放　火，不　准　百

xìng diǎn dēng.
姓 點点 燈灯。

6. Mǎn kǒu rén yì dào dé, dù lǐ nán dào
满 口 仁 義义道 德，肚 裡里男 盗

nǚ chāng.
女 娼。

[80] 成語(七字)　　　　　　見 P. 134

1. Wú shì bù dēng sān bǎo diàn.
無无事 不 登 三 寶宝 殿。

2. Cǐ dì wú yín sān bǎi liǎng.
此 地 無无 銀银 三 百 兩两。

3. Jìng jiǔ bù chī chī fá jiǔ.
敬 酒 不 吃 吃 罰罚酒。

4. Qíng rén yǎn lǐ chū Xī shī.
情 人 眼 裡里出 西 施。

5. Zuì wēng zhī yì bú zài jiǔ.
醉 翁 之 意不 在 酒。

6. Bié rén qiú wǒ sān chūn yǔ, wǒ qù qiú rén
別 人 求 我 三 春 雨，我 去 求 人

liù yuè shuāng.
六 月 霜。

7. Féng rén qiě shuō sān fēn huà, wèi kě
逢 人 且 説说 三 分 話话，未 可

quán pāo yí piàn xīn.
全 抛 一 片 心。

8. Shú dú Táng shī sān bǎi shǒu, bú huì zuò
　 熟　讀读唐　詩诗三　百　首，　不　會会 作

shī yě huì yín.
詩诗也 會会 吟。

[81] 數字　　　　　　　　　　　　　　見 P. 135

1. Yī èr sān sì wǔ liù qī bā jiǔ shí bǎi qiān
　 一　二　三　四　五　六 七 八 九 十 百 千

wàn yì
萬万 億亿

2. Sān fēn zhī yī (1/3)　　　líng diǎn liù (0.6)
　 三　分　之　一　　　　　　零　點点 六

bǎifēn zhī bā (8%)
百 分　之　八

3. Yī wǔ liù, yī wǔ qī, yī bā yī jiǔ èr shí yī,
　 一　五　六，一　五 七，一 八 一 九 二 十 一，

èr wǔ liù, èr wǔ qī, èr bā èr jiǔ sān shí yī,
二 五　六，二 五 七，二 八 二 九 三　十 一，

sān wǔ liù, sān wǔ qī, sān bā sān jiǔ sì shí yī,
三 五 六，三 五 七，三 八 三　九 四 十 一，

sì wǔ liù, sì wǔ qī, sì bā sì jiǔ wǔ shí yī,
四 五 六，四 五 七，四 八 四 九 五　十 一，

wǔ wǔ liù, wǔ wǔ qī, wǔ bā wǔ jiǔ liù shí yī,
五 五 六，五 五 七，五 八 五　九 六 十 一，

liù wǔ liù, liù wǔ qī, liù bā liù jiǔ qī shí yī,
六 五 六，六 五 七，六 八 六　九 七 十 一，

qī wǔ liù, qī wǔ qī, qī bā qī jiǔ bā shí yī,
七 五 六，七 五 七，七 八 七 九 八 十 一，

bā wǔ liù, bā wǔ qī, bā bā bā jiǔ jiǔ shí yī,
八 五 六，八 五 七，八 八 八 九 九 十 一，

jiǔ wǔ liù, jiǔ wǔ qī, jiǔ bā jiǔ jiǔ yì bǎi yī.
九 五 六，九 五 七，九 八 九 九 一 百 一。

練習 [82]－[85]

此四練習在學拼音部分只要求能唸準全句和

注意相對應字之區別。

(全句之註音，請閱P.174)

II 寫拼音

絕大部份人仕學普通話只要求"能聽會講"，但求能解決工作上語言溝通之困難；但也有少數人仕，比如教師，則不僅要"能聽會講"，還要能給漢字註上拼音，"學拼音"部分即爲後者所寫。

寫拼音並不難，"能發準就能寫"，故必須先從學拼音開始，先發準再學寫，事半功倍。

學拼音，拼音是他人所寫，現在要自己動手寫，就得瞭解"拼寫"規則。

20

拼寫規則

95. 調號標法

—調號標在韻母上。

—輕聲不標調號。

① 韻母是單韻母

    fā   hé   gǔ   dà

② 韻母是複韻母

    —音節內同時出現幾個單韻母時，

    則順着 a o e i u ü 的次序標調號。

         先   後

        bēi   guó   huà   jiào

        jiǎng   shuāng

③ i 在標調號時，先要去掉 i 上之點，然後再標
    上調號。

        yī   bīn   jīng

④ 至於 iu 或 ui，調號標在後一個韻母上。

        jiǔ   guì

96. 按詞連寫

　　漢字是方塊字□□，寫時一個字一個字連着寫，但寫拼音時則不能一個音節一個音節一直連下去寫，而是要按"詞"連寫(不是按字)和斷開。

> 我們们　是　　中國国人。
> Wǒmen shì zhōngguórén.

詞

① "字"是書寫單位也是發音單位。

② 漢語裏的詞相當於英語裏的word。

③ "詞"具有一定意義。

　　當一個字有一定意義時，此字則屬"詞"。

　　例如："善""惡"具有一定意義則屬詞。

　　　　　　"之"字不代表任何意義，故只是一個字而已。

－單音詞：一個詞只包括一個字，如：電

－雙音詞：一個詞包括兩個字，如：電視

－多音詞：一個詞包括三個字或以上，

　　　　　　如：電視機。

97. 隔音符號

　　以 a o e 開頭的音節連接在其他音節後面時，音節界限容易混淆不容易分清，可用隔音符號

"," 隔開。

| piāo | 飄飄 | pí'ǎo | 皮襖袄 |
| mín'gē | 民歌 | míng'é | 名額额 |

98. 大寫法

大致與英文相同。

① 句子開頭的第一個字母要大寫。

吸煙烟　危害　健康。
Xīyān wēihài jiànkāng.

② 專有名詞的第一個字母要大寫或全部字母都大寫。

ZHŌNGGUÓ　中國

Lǐ Bái　　李白

Lǐ Shalì　李莎莉

21 學拼音和寫拼音的基本區別

99. 學拼音－合成法(三合一)

　　　　我們已經知道，通常一個漢字的發音是由聲母、韻母以及聲調組成，拼音就是把這三者快速連讀發出一個音(三合一)，稱合成法。

$$聲母＋韻母＋聲調→音節$$
$$b ＋ a ＋ - → b\bar{a}$$

100. 寫拼音－分解法(一分爲三)

　　　　寫拼音正相反，原來是一個音要把它一分爲三：聲母、韻母及聲調，稱分解法。

$$音節→聲母＋韻母＋聲調$$
$$b\bar{a} → b ＋ a ＋ -$$

22　詞典

　　詞典是必備之工具。

101. 買怎樣之詞典

　　－是詞典不是字典。

　　－字和詞都要註有拼音。

102. 詞典的功用

　　－遇到不會唸的詞可通過部首查拼音。

　　－知道拼音但不知漢字則可通過拼音查字(用英文
　　　字典音序法查)。

23 拼寫方法

103. 寫拼音－三步曲

可分三步驟

I　第一步　見字則唸

II　第二步　然後分解唸①聲母　②韻母及

　　　　　　③帶聲調之音節

III　第三步　重複第二步，邊唸邊寫即成

注意：第一、第二步只是唸，第三步才是寫

例1.　爸

I	II			III
唸	分解唸			重複唸
	聲母	韻母	音節	邊唸邊寫
	①	②	③	
bà	b	a	bà	bà

例2.　媽

I	II			III
唸	分解唸			重複唸
	聲母	韻母	音節	邊唸邊寫
	①	②	③	
mā	m	a	mā	mā

例3. 最

I	II	III
	① ② ③	
zuì	z ui zuì	zuì

例4. 好

	① ② ③	
hǎo	h ao hǎo	hǎo

第23課　拼寫方法練習

[86]　　　　衣　食　住　行

第23課　拼寫方法練習答案

[86]　　　　衣　食　住　行
　　　　yī　shí　zhù　xíng

24 基本練習

105. 詞

　　　不論單音詞、雙音詞或多音詞都是逐字寫拼音，相連而已。

① 單音詞

[87] 吃　　　喝　　　坐　　　走　　　　　　見P. 168

② 雙音詞

[88] 和平　　　　　　自由　　　　　　　　見P. 168

　　　謙謙虛　　　　穩重

③ 三音詞

[89] 辦办公室　　　打字機机　　　　　見P. 168

　　　設设計计師师　　　攝摄像象機机

106. 句子

先把句子按詞劃分單位，再寫，注意句首要
大寫。

[90]　　請请進进。　　　　　請请坐。　　　　見P. 168

[91]　　歡欢迎 您 來来參参觀观訪访問问。　　見P. 168

[92]　　見见到 您 很 高 興兴。　　　　見P. 168

[93]　　您 要 喝 咖 啡 還还是 可 樂乐？　　見P. 168

107. in - ing

　　這兩個韻母"唸"時不會有大問題，但
"寫"時則會發現較難分辨。

　　開始練習時，不妨多借助於詞典，慢慢記住
就會得心應手。

[94] 因　爲为　　　　　應应該该　　　見P. 168

　　　貴贵賓宾　　　　　心 情

　　　硬 件　　　　　影 印

金　銀银　　　　　經经營营

臨临時时　　　　零　食

心有靈灵犀一點点通

108. en - eng

[95] 富　翁　　　　成　功　　　　見P169

真　正　　　　奉　承

很　冷　　　　新　郎

豐丰富　　　　吩　咐

109. an - ang

[96] 非　常　　　　困　難难　　　見P.169

商　場场　　　　不　敢　當当

開开放　　　　　開开飯饭

110. ang - uang

[97] 商　人　　　　　雙双人　床　　　見P.170

窗　口　　　　　傷伤口

荒　唐　　　　　放　糖

111. ü üe üan 和 ün

① 以上韻母要自成音節時，必需加 y 和去
掉 ü 上兩點，請記住。

[98] 下　雨　　　　　月　亮　　　見P.170

冤　枉　　　　　頭头暈暈

② 以上韻母和 j q x 相拼時要去掉 ü 上兩點。

[99] 菊　花　茶　　　確确認认　　　見P.170

決　定　　　　　培　訓训

宣　傳传　　　　　吹　噓

勸劝告　　　　　學学校

112. 大寫

[100] 香　港　　　　北　京　　　　見P.170

杜　甫　　　　紅红樓楼夢梦

113. 三聲字

　　幾個三聲字相連，唸時要變調，但詞典都註
原聲調－第三聲。至於普通話課本絕大部分也註
原聲調。

[101] 水　果　　　　老　闆板　　　　見P.170

冷　眼　旁　觀观　　　理　所　當当　然

114. "不"字

　　　　詞典都註原聲調－第四聲，但普通話課本多半註變調後之聲調，以便於學生練習發音。

[102] 不 好　不 壞坏　　　不 上 不 下　　　見P.171

　　　　不 聞闻 不 問问　　　不 折 不 扣

115. "一"字

　　　　詞典裡都註原聲調－第一聲，但普通話課本有註原聲調，也有註變調，由作者定。

[103] 一 針针 見见 血　　一 鳴鸣 驚惊 人　見P.171

　　　　一 本 正 經经　　　一 見见 鐘钟 情

116. 兒化

－當一音節須兒化時，則在該音節末尾加 r (不是加 er)。

－影響詞義，必須兒化，加 r；帶感情色彩可兒化也可不兒化，即可加 r 或不加 r。

[104] 一會会 兒儿　　　一塊块 兒儿　　　見P.171

花(兒儿)　　　　玩(兒儿)

117. 分隔符號

[105] 女　兒儿　　　　　早　安　　　　　見 P. 171

圖图案　　　　　驕骄傲

118. 詩詞

由於詩詞寫法習慣上字距相同，故用逐字註音。

[106] ─少　壯　不　努　力，　　　　　見 P. 171

老　大　徒　悲　傷伤。

─良　藥药苦　口　利　於　病，

忠　言　逆　耳　利　於　行。

第24課　基本練習答案

[87]　吃　　喝　　坐　　走　　　　　　　見 P. 161
　　　chī　hē　zuò　zǒu

[88]　和平　　　　　　　自由　　　　　　見 P. 161
　　　hépíng　　　　　zìyóu

　　　謙謙虛　　　　　穩重
　　　qiānxū　　　　　wěnzhòng

[89]　辦办公室　　　　打字機机　　　　　見 P. 161
　　　bàngōngshì　　dǎzìjī

　　　設设計计師师　　攝摄像象機机
　　　shèjìshī　　　　shèxiàngjī

[90]　請请進进。　　　　請请坐。　　　　　見 P. 162
　　　Qǐng jìn.　　　Qǐng zuò.

[91]　　歡欢迎　您來来參参觀观訪访問问。見 P. 162
　　　Huānyín nín lái cānguān fǎngwèn.

[92]　　見见到您很高興兴。　　　　　　見 P. 162
　　　Jiàndào nín hěn gāoxìn.

[93]　　您要喝咖啡還还是可樂乐？　　　見 P. 162
　　　Nín yào hē kāfēi háishì kělè?

[94]　因爲为　　　　　應应該该　　　　　見 P. 162
　　　yīnwèi　　　　yīnggāi

貴貴賓宾　　　　　　　　心　情
guìbīn　　　　　　　　　xīnqíng

硬　件　　　　　　　　影　印
yìngjiàn　　　　　　　　yǐngyìn

金　銀银　　　　　　　經经營营
jīnyín　　　　　　　　　jīngyíng

臨临時时　　　　　　　零　食
línshí　　　　　　　　　língshí

心　有　靈灵　犀　一　點点　通
xīn yǒu líng xī yì diǎn tōng

[95] 富　翁　　　　　　　成　功　　　　　見 P. 163
　　　fùwēng　　　　　　　chénggōng

　　　真　正　　　　　　　奉　承
　　　zhēnzhèng　　　　　　fèngchéng

　　　很　冷　　　　　　　新　郎
　　　hěn lěng　　　　　　　xīnláng

　　　豐丰富　　　　　　　吩　咐
　　　fēngfù　　　　　　　　fēnfù

[96] 非　常　　　　　　　困　難难　　　　見 P. 163
　　　fēicháng　　　　　　　kùnnán

　　　商　場场　　　　　　不　敢　當当
　　　shāngchǎng　　　　　bù gǎndāng

　　　開开放　　　　　　　開开飯饭
　　　kāifàng　　　　　　　kāifàn

見 P. 164

[97] 商 人　　　　　雙双人　床　見 P. 164
　　 shāngrén　　　shuāngrén chuáng

　　 窗 口　　　　　傷伤 口
　　 chuāngkǒu　　 shāngkǒu

　　 荒 唐　　　　　放 糖
　　 huāngtáng　　 fàng táng

[98] 下 雨　　　　　月 亮　　　見 P. 164
　　 xiàyǔ　　　　 yuèliàng

　　 冤 枉　　　　　頭头 暈晕
　　 yuānwàng　　 tóuyūn

[99] 菊 花 茶　　　 確确 認认　見 P. 164
　　 júhuāchá　　　 quèrèn

　　 決 定　　　　　培 訓训
　　 juédìng　　　　 péixùn

　　 宣 傳传　　　　 吹 噓
　　 xuānchuán　　 chuīxū

　　 勸劝告　　　　 學学 校
　　 quàngào　　　 xuéxiào

[100] 香 港　　　　 北 京　　　見 P. 165
　　　Xiānggǎng　　Běijīng

　　 杜 甫　　　　　紅红 樓楼 夢梦
　　 Dùfǔ　　　　　Hónglóumèng

[101] 水 果　　　　 老 闆板　　見 P. 165
　　 shuǐguǒ　　　 láobǎn

冷眼　旁　觀观　　　理 所 當当 然
léngyǎn páng guān　　lí suǒ dāngrán

[102] 不 好 不 壞坏　　　不　　上 不 下　　見 P. 166
　　　bù hǎo bú huài　　bú shàng bú xià

　　　不 聞闻 不 問问　　　不 折 不 扣
　　　bù wén bú wèn　　bù zhé bú kòu

[103] 一 針针 見见 血　　　一 鳴鸣 驚惊 人　　見 P. 166
　　　yì zhēn jiàn xiě　　yì míng jīng rén

　　　一 本　正　經经　　　一 見见 鐘钟 情
　　　yì běn zhèng jǐng　　yí jiàn zhōng qíng

[104] 一 會会 兒儿　　　　　一 塊块 兒儿　　　見 P. 166
　　　yíhuìr　　　　　　　yíkuàir

　　　花(兒儿)　　　　　　玩(兒儿)
　　　huā(r)　　　　　　 wán(r)

[105] 女 兒儿　　　　　　　早 安　　　　　見 P. 167
　　　nǚ'ér　　　　　　　zǎo'ān

　　　圖图案　　　　　　　驕骄傲
　　　tú'àn　　　　　　　jiāo'ào

[106] 一 少　壯壮　　不 努力，　　　　　見 P. 167
　　　Shào zhuàng bù nǔ lì,

　　　老 大 徒 悲　傷伤。
　　　lǎo dà dú bēi shāng.

171－課24

一 良 藥药 苦 口 利 於 病,
Liáng yào kǔ kǒu lì yú bìng,

　　忠 言 逆 耳 利 於 行。
zhōng yán nì ěr lì yú xíng.

25 綜合練習

119. 練習 82 83 84 及 85

　　現在請你把學拼音練習 82 83 84 及 85 仔細聽和跟着唸，直至能完全發準，然後再把這三練習未註拼音部分補上。(答案見P.174)

　　請注意：任何註有拼音的課本都可作拼寫練習，只要把拼音部分蓋住，然後自己拼寫，再對照。

120. 寫拼音總結

① 漢字數量雖多(康熙字典收有四萬多字)，實際上通用字不出五六千字。本書課文內練習加上課後練習約爲四千多字，基本上已能應付。

② 通過以上的練習你定有體會，能唸準就很容易寫，不會唸的字就無法寫，因此不妨多聽、多唸標準的錄音帶，能掌握越多的字，就越能運用自如，得心應手。

③ "寫拼音"(即給漢字註音)的方法很多，傳統方法是：剛"學"拼音就"寫"拼音，此法未尚不可，但我認爲先學拼音，把音唸準，在這

基礎上再學寫則將事半功倍。

(4) 對於只要求"能聽曾講"的讀者來説，他只要
見到拼音能發出準確之音以及掌握"發音規
則"即可；沒有必要做"寫拼音"練習，也不
必學"拼寫規則"。對症下藥，別浪費時間，
特請教師和學生注意。

第25課　綜合練習[82]—[85]答案

[82] 多音字練習　　　　　　　　　　見P.136

1. 當当 心，別 上 當当。
   Dāngxīn, bié shàngdàng.

2. 北京， 上海 都 是 大 都市。
   Běijīng, Shànghǎi dōu shì dà dūshì.

3. 天氣气 悶闷熱热，叫人 悶闷 得 慌。
   Tiānqì mēnrè, jiào rén mèn de huāng.

4. 經经過过 調调查，決定 先 調调解，
   Jīngguò diàochá, juédìng xiān tiáojiě,

   儘尽量 爭取 庭外 和解。
   jǐnliàng zhēngqǔ tíng wài héjiě.

5. 下班 後后，聽聽听 音樂乐，感到
   Xiàbān hòu, tīngting yīnyuè, gǎndào

很　快樂乐。
hěn kuàilè.

6.　中、　港、　台會会計计師师 一起 開开會会
　Zhōng, Gǎng, Tái kuàijìshī yìqǐ kāihuì

　很　難难得。
　hěn nándé.

7.　到　超級级　市場场　買买　東东西，
　Dào chāojí shìchǎng mǎi dōngxi,

　又　方便　又　便宜。
　yòu fāngbiàn yòu piányi.

8.　我們们　早　就　空　出　房　間间　等
　Wǒmen zǎo jiù kòngchū fángjiān děng

　他 來，結果，空 歡欢喜 一場场。
　tā lái, jiéguǒ kōng huānxǐ yìchǎng.

9.　我　太太要把　雙双人　床　靠
　Wǒ tàitai yào bǎ shuāngrén chuáng kào

　　窗　放，我要 靠 牆墙。
　chuāng fàng, wǒ yào kào qiáng.

　最後后 怎麼么樣样？那 還还 用 說说。
　Zuìhòu zěnmeyàng? Nà hái yòng shuō.

10.　曾　先生　曾經经　去過过　鄭郑州
　Zēng xiānsheng céngjīng qùguò ZhèngZhōu

　兩 次。
　liǎng cì.

11.　賈佳的　病假　條条 很　快　被發发现现
　Jiǎ Jiā de bìngjià tiáo hěn kuài bèi fāxiàn

是 假 的。
shì jiǎ de.

12. 他 每 天 步行 去 銀银行 上班。
Tā měi tiān bùxíng qù yínháng shàngbān.

13. 到期 不 還还書书，要 罰罚款，還还要
Dàoqī bù huánshū, yào fá kuǎn, hái yào

停止 借閱阅 兩周。
tíngzhǐ jièyuè liǎngzhōu.

14. 這这次 考 得不錯错，還还得繼继續续努力，
Zhè cì kǎo de bú cuò, hái děi jìxù nǔlì,

才 能 得到 更 好 的 成績绩。
cái néng dédào gèng hǎo de chéngjī.

15. 出差 差 點点兒儿忘 了 帶带 文件。
Chūchāi chà diǎnr wàng le dài wénjiàn.

16. 數数學学系 來来的同學学 最 多，請请 你
Shùxué xì lái de tóngxué zuì duō, qǐng nǐ

數数一下 來来了 多少 學学生。
shǔ yíxià lái le duōshǎo xuéshēng.

17. 請请 你 叫 小 喬乔 立刻 去 教室，
Qǐng nǐ jiào xiǎo Qiáo lìkè qù jiàoshì,

焦 教授 決定 親亲自 教 他。
Jiāo jiàoshòu juédìng qīnzì jiāo tā.

18. 我 國国 地 底 下 埋藏 着 豐丰富的
Wǒ guó dì dǐ xià máicáng zhe fēngfù de

寶宝藏，有 待 發发掘。
bǎozàng, yǒu dài fājué.

19. 這这 孩子 個个性 強, 脾氣气 彊,不要
Zhè háizi gèxìng qiáng, píqì jiàng, bú yào

勉強 他。
miǎnqiǎng tā.

20. 弟弟 說说 的 的確确 不錯错,我們们 走了
Dìdì shuō de díquè bú cuò, wǒmen zǒu le

兩 個个小時时 才 到達达 目的地。
liǎng ge xiǎoshí cái dàodá mùdìdì.

[83] 易混淆字音練習   見P.138

1. 買买機机票 可以 付 支票。
Mǎi jīpiào kěyǐ fù zhīpiào.

2. 司機机一年 四季開开 車车 很 辛苦。
Sījī yì nián sì jì kāi chē hěn xīnkǔ.

3. 這这 位 歌星 除了歌藝艺不錯错,還还
Zhè wèi gēxīng chú le gēyì bú cuò, hái

很 有 個个性。
hěn yǒu gèxìng.

4. 福建 漆器、江西 瓷器 名 聞闻 世界。
Fújiàn qīqì, Jiāngxī cíqì míng wén shìjiè.

5. 不得已 要 動动 手術术,先要 辦办
Bùdéyǐ yào dòng shǒushù, xiān yào bàn

住院 手續续。
zhùyuàn shǒuxù.

6. 嘴 裡里 有 舌頭头,不是 石頭头,更
Zuǐ lǐ yǒu shétou, bú shì shítou, gèng

不是　蛇頭头。嚇吓 死 人 了。
bú shì shétóu. Xià sǐ rén le.

7.　通訊讯　方法　中　以　通信　最　普遍。
Tōngxùn fāngfǎzhōng yǐ tōngxìn zuì pǔbiàn.

8.　佈告 板 上　已 通知　各 部門门 要
Bùgào bǎn shang yǐ tōngzhī gè bùmén yào

在　月 底　前　交 總总結结　報报告。
zài yuè dǐ qián jiāo zǒngjié bàogào.

9.　參参觀观　展覽览會会 必須须 守　秩序
Cānguān zhǎnlǎnhuì bìxū shǒu zhìxù

排　隊队 檢检　票　入　塲场。
pái duì jiǎn piào rù chǎng.

10.　關关於于　這这件　事情，　我 也　說说 不
Guānyú zhè jiàn shìqing, wǒ yě shuō bù

清，　最好　問问 老　秦。
qīng, zuìhǎo wèn lǎo Qín.

11.　比賽赛一　獲获勝胜，　獎奖章、
Bǐsài yí huòshèng, jiǎngzhāng,

獎奖狀、　獎奖金 一齊齐　來来。
jiǎngzhuàng, jiǎngjīn yìqí lái.

12.　這这間间技術术學学校 不　收　寄宿生，
Zhè jiān jìshù xuéxiào bùshōu jìsùshēng,

只　能　走　讀读。
zhǐ néng zǒu dú.

13.　參参加 宴會会　衣着 打扮 很　重要，
Cānjiā yànhuì yīzhuó dǎbàn hěn zhòngyào,

我 是 一竅窍不通，無无 從从 着手。
wǒ shì yíqiàobùtōng, wú cóng zhuóshǒu.

14. 別 着急，還还 早 着 呢。
Bié zháojí, hái zǎo zhe ne.

15. 我 的 連连襟 現现在 正 經经營营
Wǒ de liánjīn xiànzài zhèng jīngyíng

金銀银 珠寶宝 生意。
jīnyín zhūbǎo shēngjì.

16. 校方 規规定 男生 穿 深
Xiàofāng guīdìng nánshēng chuān shēn

藍蓝色 上裝装， 長长 褲裤， 剃 光頭头，
lánsè shàngzhuāng, chángkù, tì guāngtóu,

女生 穿 淺浅 綠绿色 祺袍， 剪 短 髮发。
nǚshēng chuān qiǎn lǜsè qípáo, jiǎn duǎnfà.

17. 沒没 時时間间 休息 了，打聽听 消息要緊紧。
Méi shíjiān xiūxi le, dǎting xiāoxi yàojǐn.

18. 白 先生 請请客 花 了 好 幾几百，
Bái xiānsheng qǐngkè huā le hǎo jǐ bǎi,

錢钱 先生 花 了 好 幾几千。
Qián xiānsheng huā le hǎo jǐ qiān.

19. 劉刘 先生 請请 柳 先生 下 樓楼，
Liú xiānsheng qǐng Liǔ xiānsheng xià lóu,

說说 成 請请 你 先 下流，大家
shuō chéng qǐng nǐ xiān xiàliú, dàjiā

笑 得 直 不 起 腰。
xiào de zhí bù qǐ yāo.

20. 抓緊緊 時时間间，多 學学習习，多 實实踐践，
    Zhuājǐn shíjiān, duō xuéxí, duō shíjiàn,

    理想　　一定　會会實实現现。
    lǐxiǎng yídìng huì shíxiàn.

[84] 普通話廣東話詞組對比練習(一)　　　　　見P.141

1. xièxie - jièjie　　　　pínghéng - píngxíng
   謝谢谢　借借　　　　　平衡　　　　平行

2. yǒuxiàn - yǒuhàn　　　wǔnǚ - mǔnǚ
   有限　　有汗　　　　　舞女　母女

3. Pāi qiú - páiqiú　　　wǎnqī - mǎnqī
   拍球　　排球　　　　　晚期　滿期

4. dàoguò - dùguò　　　　biànzi - piànzi
   到過过　渡過过　　　　辮辫子　騙骗子

5. jiǎnsù - gǎnchù　　　wěishù - měishù
   減速　感觸触　　　　尾數数　美術术

6. sōngbǎi - chóngbài　fāhuī -　huáfèi
   松柏　　　崇拜　　　發发揮挥　花費费

7. wánquán - yuánquán　dàshà - dàxiā
   完全　　　源泉　　　　大廈　　大蝦虾

8. bùwèi - pùwèi　　　　yóuyuán - yǒuyuán
   部位　舖位　　　　　遊園园　　有緣缘

9. dùzi - tùzi　　　　　wěiqū - huīhuò
   肚子　兔子　　　　　委屈　　揮挥霍

10. liúmáng - liúwáng　lǐfà -　fēifǎ
    流氓　　　流亡　　　理髮发　非法

1. 給給 孩子 買买 鞋子，大一點点 兒儿 不會会 錯错。
   Gěi háizi mǎi xiézi, dà yìdiǎnr bú huì cuò.

2. 其實实 佛學学 很 科學学。
   Qíshí fóxué hěn kēxué.

3. 聽听到 這这個个 不幸 的 消息，簡简直
   Tīngdào zhè ge búxìng de xiāoxi, jiǎnzhí

   不 信 是 真 的。
   bú xìn shì zhēn de.

4. 談谈 戀恋愛爱，不是 亂乱 愛爱，應应 該该
   Tán liàn'ài, bú shì luàn ài, yīnggāi

   慎重 考慮虑。
   shènzhòng kǎolǜ.

5. 我 只 要 一 根 蔥，他 給给 了 我 一斤 蔥。
   Wǒ zhǐ yào yì gēn cōng, tā gěi le wǒ yìjīn cōng.

6. 內心 雖虽 急，但是 還还 得 耐心 等待。
   Nèixīn suī jí, dànshì hái děi nàixīn děngdài.

7. 考試试 包括 筆笔試试、口試试，能
   Kǎoshì bāokuò bǐ shì, kǒu shì, néng

   通過过 才是 好 事。
   tōngguò cáishì hǎo shì.

8. 不是 肯 不肯 的 問问題题，而是 能不能
   Bú shì kěn bukěn de wèntí, ér shì néngbunéng

   狠 下 心 去 做。
   hěn xià xīn qù zuò.

9. 白酒 太 兇，我 只 能 喝 啤酒。
Báijiǔ tài xiōng, wǒ zhǐ néng hē píjiǔ.

10. 雖虽然 希望 不大，請请 仍舊旧 按
Suīrán xīwàng bú dà, qǐng réngjiù àn

原 來来 計计劃划營营救 他。
yuán lái jìhuà yíngjiù tā.

11. 舅舅 快 救 我。
Jiùjiu kuài jiù wǒ.

12. 我們们 的 老闆板 可 說说 是 模範范 夫妻
Wǒmen de lǎobǎn kě shuō shì mófàn fūqī

檔档，男 的 很 和藹蔼，女 的 很 可愛爱。
dàng, nán de hěn hé'ǎi, nǚ de hěn kě'ài.

13. 你 爲为了 我 受 盡尽 委屈，真 過过 意 不去。
Nǐ wèi le wǒ shòu jìn wěiqū, zhēn guòyì bú qù.

14. 花 這这 麼么 多 錢钱 買买 簡简直 沒 價价值
Huā zhème duō qián mǎi jiǎnzhí méi jiàzhí

的 東东西，真 不 值得。
de dōngxi, zhēn bù zhíde.

15. 由 於于 父親亲 沒立 遺遗囑嘱，子女 爲为着
Yóu yú fùqin méi lì yízhǔ, zǐnǚ wèi zhe

爭 遺遗產产，打 官司 的 案子 多 不 勝胜 舉举。
zhēng yíchǎn dǎ guānsī de ànzi duō bú shèng jǔ.

16. 我 每 星期 去 商科 學学校 上
Wǒ měi xīngqī qù shāngkē xuéxiào shàng

課课 兩 次。
kè liǎng cì.

17. 愛爱人不是 外人，也不是 壞坏人，
Àirén bú shì wàirén, yě bú shì huàirén,

但 有 可 能 成爲为 敵敌人。
dàn yǒu kě néng chéngwéi dírén.

小心 小心。
Xiǎoxīn xiǎoxīn.

18. 我 沒说说 錯错呀， 閻阎王 派來的
Wǒ méi shuō cuò ya, Yánwáng pài lái de

欽钦差 大 臣 當当然 是 陰阴差大
qīnchāi dà chén dāngrán shì yīnchāi dà

神 囉罗。
shén luo.

19. 聖旨 下： 奉 天 順 運运， 皇帝
Shèngzhǐ xià: fèng tiān shùn yùn, Huángdì

詔诏曰，欽钦此。 謝谢 主 龍龙 恩。
zhào yuē, qīn cǐ. Xiè zhǔ Lóng ēn.

20. 一 萬万不是 富翁， 希望 你
Yí wàn bú shì fùwēng, xīwàng nǐ

成 爲为未來来 的 億亿萬万 富翁。
chéng wéi wèilái de yìwàn fùwēng.

III 語言基本知識

26 語言基本知識

121. 中國民族間的共同語

我國是多民族國家，各民族都有自己的語言，同為中國人見面時卻常因語言之隔閡無法溝通，因此有必要規定一種語言作為民族間的共同語。

122. 漢語

漢語雖只是漢族的共同語，但在我國所有民族中以漢族人數最多，故理所當然應以漢語作為我國各民族間的共同語。

123. 北方話

雖同屬漢語，卻因地區不同方言也有所不同。(所謂方言是某個地方或地區所使用的語言)

根據地區分佈，漢語主要可以分為八大方言：江浙話、湖南話、江西話、客家話、閩南話、閩北話、廣東話和北方話。

八大方言中以説北方話的人最多，分佈區域最廣，幾乎佔全國之半，但儘管説北方話的分佈極廣，地區如此之大，然而語言差異卻不大，換言之，説北方話能在半國範圍內基本上都能溝通，因此理應選擇北方話作爲基礎方言。

124. 北京音

同屬北方話，其語音也因地區不同也有所差別，故必須挑選其中之一地區之語音爲標準語音。

長期以來北京一直是我國政治、文化、經濟之中心，以北京話爲代表的北方話被稱爲"官話"，已佔盡優勢，加之北京音系比較簡單易學，因此以北京語音作爲標準語音無可非議。

125. 白話文

人們交往藉"話"(説或言)，先有話，然後出現相應之"文"(寫)，"言"和"文"原則上應一致。

中國長期使用的漢語書面語"文言文"，最初也是在口語的基礎上產生的，但後來和現在民間的口語距離越來越遠，因此也就相應地出現了另一種新的書面語－白話文以達到言文一致。

126. 中國國家語言的定義(標準)

漢語是漢民族的共同語，也是中國各方言區，各民族間用以溝通的語言，在國際上則代表中國的國家語言。

中國國家語言的定義是"以北京語音為標準音，以北方話為基礎方言，以典範的現代白話文著作為語法規範。"

注意：音是北京音，話是北方話(不是北京話)，文是白話文。

127. 人人都需學

事實上中國沒有一個城市其地方方言是普通話，換句話說也即中國沒有一個城市是講標準普通話的，因此每個人都須要學(包括北方人、北京人)。

128. 語法、詞彙和語音

　　漢語方言雖不同，但各方言的語法基本上是一致的，詞彙絕大多數是相同的，只是語音差異比較大。

　　對已具有中文知識的人仕而言，毋需再學語文，只需掌握普通話的發音，就可以很快學會講普通話。

129. 漢字

　　英語是拼音文字(屬印歐語系)，最小造字單位是字母，造字(word)方法是字母連寫，由於字母本身是"音"素，故見字即能唸，可謂表音文字。

　　漢語是象形文學(屬漢藏語系)，用不同的筆劃造字，字表音、象形、形聲，但和"音"無關，也即漢字不表"音"。

130. 漢語拼音

　　由於漢字不表音，單看字無法唸出來，為了便於發音需要一套發音方法。

　　發音方法不少，目前最主要的兩種是：

台灣使用的"註音法"以及大陸使用的"拼音法"，但不論註音法或拼音法，其發音相同，符號不同而已。

由於"拼音法"所用的符號採用了印歐語系的表音字母，易學易記，故本書採用的是拼音法，也即"漢語拼音"。

附　錄

附錄一

普通話教學中常出現之問題

1. 國語、普通話、華語、漢語......是否相同？

　　我國民族間的共同語（即中國的國家語言）解放前稱國語，解放後改稱普通話（台灣仍保留國語之名），新加坡則稱之為華語，由於這共同語本身就是漢語，故也有直接用漢語稱之，其他用中國話、唐話......也可見到，名稱雖不同，標準同。

2. 既然普通話、國語相同，為甚麼內地人講普通話和台灣人講國語似乎不一樣，且後者易懂？

　　理由很簡單，平時你接觸的是一般市民，他們講得並不標準。尤其台灣福建人較多，福建話習慣不捲舌，故易聽懂。不妨聽一下兩地電視、電台的播音員，就不難找到答案。

3. 我們學普通話還是學北京話？

　　普通話是我國國家語言，北京話是地方方言。

　　北京人跟你講話時，他並不是講北京話，已改講普通話，北京人自己講的才是北京話，有機會的話試聽一下能否懂，就可以知道普通話和北京話並不相同。

我們應該學的是普通話（國語），並不是北京話。

4. 內地拼音和台灣註音

我們已知拼音和註音發音同，只是符號不同。

例如：b＝ㄅ　p＝ㄆ　m＝ㄇ　f＝ㄈ
　　　a＝ㄚ　　o＝ㄛ　　　e＝ㄜ

一請查新華字典，你會見到同一漢字，同時註有"拼音"也註有"註音"，可見發音同。

一請參閱附錄二

5. 拼音難不難學？

和英語相比，普通話的語音容易得多，因較呆板。

一普通話里的聲母相當於英語里的輔音consonant，同樣都是21個，但英語中有些輔音，比如 c，可發 s 音也可發 k 音，而普通話裡的每個聲母只有一種發音，故易掌握。

一普通話裡的韻母相當於英語裡的元音vowel，英語雖只 5 個元音，但每個元音可發多種不同音，而普通話裡的韻母雖有36 個（基本韻母只 11 個），每個韻母只有一種發音，故不難掌握。

一一個聲母發一種音，一個韻母也發一種音，相拼只可能出現一種音，故普通話發音遠比英語容易。

6. 拼音不難，為甚麼學不會？

　　　　由於你已認識漢字，當漢字和拼音同時出現時，相信你只看字而不看拼音，老是不看不可能熟悉，當然學不會（並不是難學的問題）。

　　　　與外國學生相比，他們不認識漢字，只能看拼音，故很快學會。

7. 語文和語言

　　　　先有"言"然後出現"文"，前者主要是"講"，後者重點在"寫"。

　　　　語文有深淺之分，未學過小學語文則不可能學中學語文。

　　　　語言則無初級話、高級話之分，只有發音準確不準確，說話流利不流利之分，至於說話者所用詞彙、修辭、用語、說話技巧等則和他所受教育、語文知識、文學修養有關。

8. 自學之可能性

　　　　對於已經具有一定語文知識的人仕來說，不是學語文，只是學語言，這語言是把自己的本土方言改唸成普通話，所以只要掌握普通話的發音方法，就可以很快學會講普通話。

9. 自學之方法

　　　　應該說只要掌握普通話之發音，就能學會講普通話，事實上行不通，因為單學拼音很枯燥。

鑒於我們已具有一定的中文知識，字都認識，意義也懂，故不妨一邊學拼音，一邊學會話，相輔相成，同時並進。

會唸不一定會講，但先要學會"唸"，再找機會練習"講"，就能很快解決你語言溝通之困難。

10. 教材之選擇

一本易學之漢語拼音。（語音理論大可不必）

一本與自己工作有關的會話書，挑選此會話課本清注意以下幾點：

① 不是語文書（適於寫的書面語長句），應是語言書（適於講的口話化短句）才易講。

② 朗讀者應是受過訓練的廣播員，發音才標準。

③ 註解應着重於普通話與當地方言在用法及發音上之區別和突出難發或易發錯之音，不是教語文。

現在我們已經把全書學完了，你不僅學會拼音，能給漢字註音，並且對語言基本知識也有所瞭解，希望能起拋磚引玉之用，以助您進一步提高更上一層樓。

漢語拼音與註音符號對照表
Comparison Between
Hanyupinyin & Phenetic Symbols

聲　母　Consonants

b＝ㄅ 玻	p＝ㄆ 坡	m＝ㄇ 摸	f＝ㄈ 佛
d＝ㄉ 得	t＝ㄊ 特	n＝ㄋ 訥	l＝ㄌ 勒
g＝ㄍ 哥	k＝ㄎ 科	h＝ㄏ 喝	
j＝ㄐ 基	q＝ㄑ 欺	x＝ㄒ 希	
zh＝ㄓ 知	ch＝ㄔ 吃	sh＝ㄕ 詩	r＝ㄖ 日
z＝ㄗ 資	c＝ㄘ 疵	s＝ㄙ 思	

韻　母　Vowels

	i=I 衣	u=ㄨ 烏	ü=ㄩ 迂
a = ㄚ 啊	ia=Iㄚ 呀	ua=ㄨㄚ 蛙	
o = ㄛ 喔		uo=ㄨㄛ 窩	
e = ㄜ 鵝	ie=Iㄝ 耶		üe=ㄩㄝ 約
ai = ㄞ 哀		uai=ㄨㄞ 歪	
ei = ㄟ 欸		uei=ㄨㄟ 威	
ao = ㄠ 凹	iao=Iㄠ 腰		
ou = ㄡ 歐	iou=Iㄡ 優		
an = ㄢ 安	ian=Iㄢ 煙	uan=ㄨㄢ 彎	üan=ㄩㄢ 鴛
en = ㄣ 恩	in=Iㄣ 因	uen=ㄨㄣ 溫	ün=ㄩㄣ 暈
ang = ㄤ 骯	iang=Iㄤ 央	uang=ㄨㄤ 汪	
eng = ㄥ (亨的韻母)	ing=Iㄥ 英	ueng=ㄨㄥ 翁	
ong≒ㄨㄥ (轟的韻母)	iong=ㄩㄥ 雍		

附錄三

漢語拼音正詞法基本規則

0. 總原則

0.1 拼寫普通話基本上以詞為書寫單位。

rén (人)   pǎo (跑)   hǎo(好)

péngyou (朋友)   niánqíng (年輕)

wǎnhuì (晚會)   qiānmíng (簽名)

diànshìjī (電視機)   túshūguǎn (圖書館)

0.2 表示一個整體概念的雙音節和三音節結構，連寫。

wèndá (問答)   dàhuì (大會)

quánguó (全國)   kāihuì (開會)

dǎpò (打破)   zǒulái (走來)

duìbuqǐ (對不起)   chīdexiāo (吃得消)

0.3 四音節以上表示一個整體概念的名稱，按詞分開寫，不能按詞劃分的，全部連寫。

Zhōnghuá Rénmín Gònghéguó (中國人民共和國)

Zhōngguó Shèhuì Kēxuéyuàn (中國社會科學院)

hóngshízìhuì (紅十字會)

0.4 單音節詞重疊，連寫：雙音節詞重疊，分寫。

rénrén (人人)   kànkan (看看)

dàdà (大大)   gègè (個個)

yánjiū yánjiū (研究研究)

xuěbái xuěbái (雪白雪白)

重疊並列即 AABB 式結構，當中加短橫。

láilai-wǎngwǎng (來來往往)

shuōshuo-xiàoxiào (說說笑笑)

qīngqīng-chǔchǔ (清清楚楚)

0.5 為了便於閱讀和理解，在某些場合可以用短横。

huán-bǎo (環保——環境保護)

gōng-guān (公關——公共關係)

shíqī-bā suì (十七八歲)

zhōng-xiǎoxué (中小學)

1.名詞

1.1 名詞與單音節前加成分（副、總、非、反、超、老、阿、可、無等）和單音節後加成分（子、兒、頭、性、者、員、家、手、化、們等），連寫。

fùbùzhǎng (副部長)

zǒnggōngchéngshī (總工程師)

chāoshēngbō (超聲波)　　zhuōzi (桌子)

mùtou (木頭)　　yìshùjiā (藝術家)

kēxuéxìng (科學性)　　xiàndàihuà (現代化)

1.2 名詞和後面的方位詞，分寫。

shān shàng (山上)　　shù xià (樹下)

mén wài (門外)　　hé lǐmian (河裏面)

huǒchē shàngmian (火車上面)

xuéxiào pángbiān (學校旁邊)

Huáng Hé yǐnán (黃河以南)

但是，已經成詞的，連寫。例如：「海外」不
等於「海的外面」。

tiānshang (天上)　　　　　dìxia (地下)

kōngzhōng (空中)　　　　hǎiwài (海外)

1.3　漢語人名按姓和名分寫，姓和名的開頭字母大
　　寫。筆名、別名等，按姓名寫法處理。

Zhūgě Kǒngmíng (諸葛孔明)

Lǔ Xùn (魯迅)　　　Méi Lánfāng (梅蘭芳)

姓名和職務、稱呼等分開寫；職務、稱呼等開
頭小寫。

Wáng bùzhǎng (王部長)　Tián zhǔrèn (田主任)

Lǐ xiānsheng (李先生)　Zhào tóngzhì (趙同志)

「老」、「小」、「大」、「阿」等稱呼開頭
大寫。

Xiǎo Liú (小劉)　　　　Lǎo Qián (老錢)

Dà Lǐ (大李)　　　　　Wú Lǎo (吳老)

已經專名化的稱呼，連寫，開頭大寫。

Kǒngzǐ (孔子)　　　　　Bāogōng (包公)

1.4　漢語地名按照中國地名委員會文件(84)中地字
　　第 17 號《中國地名漢語拼音字母拼寫規則（漢
　　語地名部分）》的規定拼寫。

　　　漢語地名中的專名和通名分寫，每一分寫
部分的第一個字母大寫。

Běijǐng Shì (北京市)　　Héběi Shěng (河北省)

Yālù Jiāng (鴨綠江)　　Táiwān Hǎixiá (台灣海峽)

專名和通名的附加成分，單音節的與其相關部分連寫。

Xīliáo Hé (西遼河)　　Jǐngshān Hòujiē (景山後街)

自然村鎮名稱和其他不需區分專名和通名的地名，各音節連寫。

Zhōukǒudiàn (周口店)　Sāntányìnyuè (三潭印月)

1.5　非漢語人名、地名本著「名從主人」的原則，按照羅馬字母（拉丁字母）原文書寫；非羅馬字母文字的人名、地名，按照該文字的羅馬字母轉寫法拼寫。為了便於閱讀，可以在原文後面注上漢字或漢字的拼音，在一定的場合也可以先用或僅用漢字的拼音。

Ülanhü (烏蘭夫)　　　　Newton (牛頓)

Einstein (愛因斯坦)　　Lhasa (拉薩)

Paris (巴黎)　　　　　　Washington (華盛頓)

漢語化的音譯名詞，按漢字譯音拼音。

Fēizhōu (非洲)　　　　Nánměi (南美)

Déguó (德國)　　　　　Dōngnányà (東南亞)

2. 動詞

2.1　動詞和「着」、「了」、「過」連寫。

kànzhe (看着)　　kànle (看了)　　kànguo (看過)

句末的「了」，分寫。

Huǒchē dào le (火車到了。)

2.2 動詞和賓語，分寫。

kàn xìn (看信)　　　jiāoliú jīngyàn (交流經驗)

動賓式合成詞中間插入其他成分的，分寫。

jūle yǐ gè gōng (鞠了一個躬)

lǐguo sān cì fà (理過三次髮)

2.3 動詞（或形容詞）和補語，兩者都是單音節的，連寫；其餘的情況，分寫。

gǎohuài (搞壞)　　　　　dǎsǐ (打死)

dàngzuò (當做〔笑語〕)　zǒu jinlai (走進來)

zhěnglǐ hǎo (整理好)

gǎixiě wéi (改寫為〔劇本〕)

3. 形容詞

3.1 單音節形容詞和重疊的前加成分或後加成分，連寫。

mēngmēngliàng (蒙蒙亮)

liàngtāngtāng (亮堂堂)

3.2 形容詞和後面的「些」、「一些」、「點兒」、「一點兒」，分寫。

dà xiē (大些)　　　　dà yìxiē (大一些)

kuài diǎnr (快點兒)　kuài yìdiǎnr (快一點兒)

4. 代詞

4.1 表示複數的「們」和前面的代詞，連寫。

Wǒmen (我們)　　　　tāmen (他們)

4.2 指示代詞「這」、「那」，疑問代詞「哪」和
名詞或量詞，分寫。

zhè rén (這人)　　　　　nà cì huìyì (那次會議)
nǎ zhāng bàozhǐ (哪張報紙)

「這」、「那」、「哪」和「些」、「麼」、
「樣」、「般」、「裏」、「邊」、「會兒」、
「個」，連寫。

zhèxiē (這些)　　　　　zhème (這麼)
nàyàng (那樣)　　　　　nàli (那裏)
nǎli (哪裏)　　　　　　zhèhuìr (這會兒)
zhège (這個)　　　　　zhèmeyàng (這麼樣)

4.3 「各」、「每」、「某」、「本」、「該」、
「我」、「你」等和後面的名詞或量詞，分寫。

gè rén (各人)　　　　　gè xuékē (各學科)
měi cì (每次)　　　　　mǒu rén (某人)
běn bùmén (本部門)　gāi gōngsī (該公司)
wǒ xiào (我校)　　　　nǐ dānwèi (你單位)

5. 數詞和量詞

5.1 十一到九十九之間的整數，連寫。

shíyī (十一)　　　　　jiǔshíjiǔ (九十九)

5.2 「百」、「千」、「萬」、「億」與前面的個
位數，連寫；「萬」、「億」與前面的十位以
上的數，分寫。

jiǔyì líng qīwàn èrqiān sānbǎi wǔshíliù
(九億零七萬二千三百五十六)

5.3 表示序數的「第」與後面的數詞中間，加短橫。

dì-yī (第一)　　　　　dì-èrshíbā (第二十八)

dì-sānbǎi wǔshíliù (第二百五十六)

5.4 數詞和量詞，分寫。

liǎng gè rén (兩個人)

wǔshísān réncì (五十三人次)

表示約數的「多」、「來」、「幾」和數詞、量詞分寫。

yìbǎi duō gè (一百多個)

shí lái wàn rén (十來萬人)

jǐ tiān gōngfu (幾天工夫)

「十幾」、「幾十」連寫。

shíjǐ gè rén (十幾個人)

jǐshí gēn gāngguǎn (幾十根鋼管)

6. 虛詞

虛詞與其他語詞分寫。

6.1 副詞

hěn hǎo (很好)　　　　gèng měi (更美)

zuì dà (最大)　　　　bù lái (不來)

yīng bù yīnggāi (應不應該)

gānggāng zǒu (剛剛走)

shífēn gǎndòng (十分感動)

6.2 介詞

zài qiánmiàn (在前面)

xiàng dōngbiān qù (向東邊去)

cóng zuótiān qǐ (從昨天起)

shēng yú 1940 nián (生於 1940 年)

6.3 連詞

gōngrén hé nóngmín (工人和農民)

bùdàn kuài érqiě hǎo (不但快而且好)

Nǐ lái háishi bù lái? (你來還是不來？)

6.4 結構助詞「的」「地」「得」「之」

Zhè shì wǒ de shū. (這是我的書。)

Shāngdiàn li bǎimǎnle chī de, chuān de, yòng de.
(商店裏擺滿了吃的、穿的、用的。)

Tǎnbái de gàosu nǐ ba. (坦白地告訴你吧。)

xiě de bù hǎo (寫得不好)

lěng de fādǒu (冷得發抖)

zuì fādá de guójiā zhī yī (最發達的國家之一)

附：「的」、「地」、「得」在技術處理上，
根據需要可分別寫作「d」、「di」、「de」。

6.5 語氣助詞

Nǐ zhīdao ma? (你知道嗎？)

Zěnme hái bù lái a? (怎麼還不來啊？)

Kuài qù ba! (快去吧！)

6.6 嘆詞

A! Zhēn měi! (啊！真美！)

Ng, nǐ shuō shénme? (嗯，你說甚麼？)

6.7 擬聲詞

pa! (啪！)　　　　　　jiji-zhazha (嘰嘰喳喳)

「honglong」yi sheng (「轟隆」一聲)

Dū——, qìdí xiǎng le. (嘟，汽笛響了。)

7. 成語

7.1 四言成語可以分為兩個雙音節來念的，中間加短橫。

fēngpíng-làngjìng (風平浪靜)

shuǐdào-qúchéng (水到渠成)

píngfēn-qiūsè (平分秋色)

guāngmíng-lěiluò (光明磊落)

7.2 不能按兩段來念的四言成語、熟語等，全部連寫。

bùyìlèhū (不亦樂乎)　zǒng'éryánzhī (總而言之)

àimònéngzhù (愛莫能助)

húlihútu (胡里胡塗)

8. 大寫

8.1 句子開頭的字母和詩歌每行開頭的字母大寫。（舉例略）

8.2 專有名詞的第一個字母大寫

Běijíng (北京)　　　　　　Qīngmíngjié (清明節)

由幾個詞組成的專有名詞，每個詞的第一個字母大寫。

Hépíng Bīnguǎn (和平賓館)

Guāngmíng Rìbào (光明日報)

8.3 專有名詞和普通名詞連寫在一起的，第一個字母要大寫。

Zhōngguórén (中國人)　Guǎngdōnghuà (廣東話)

已經轉化為普通名詞的，第一個字母小寫。

guǎnggān (廣柑)　　　　chuānxiōng (川芎)

9. 移行

9.1 移行要按音節分開，在沒有寫完的地方加上短橫

.... guāng-

míng (光明)

不能移作「 gu-āngmíng 」。

10. 標調

10.1 聲調一律標原調，不標變調。

yì jià (一架)　yì tiān (一天)　qīwàn (七萬)
bā ge (八個)　bù duì (不對)　bùzhìyú (不至於)

但是在語音教學時可以根據需要按變調標寫。

附：除了《漢語拼音方案》規定的符號標調法以外，在技術處理上，也可根據需要採用數字或字母作為臨時變通標調法。

註：以上基本規則內的詞例已酌情減少。

作者簡介及寫作特點

　　李莎莉，畢業於浙江大學，出生於戲劇之家，現為世界漢語教學學會會員，國際漢語教學會議香港區代表。

　　李莎莉是位資深的普通話老師，曾任教於各大機構及培訓中小學普通話老師。在教學過程中，她認為長時期來寫普通話書(語言書)用語文書的傳統寫法應予以改變并有所創新，根據這一原則並結合多年的教學經驗以及個人的知識和閱歷，她所編寫的教材具有獨特的風格：

1. 打破傳統式用書面語(長句)寫 "說話" 的形式，代之以用口語化短句，因此易上口，學後馬上能講。

2. 突破一般作者 "我有甚麼寫甚麼" 的寫法而是 "學生" 需要甚麼我寫甚麼" ，對症下藥，切合實際，因此即學即能用。

3. 不僅教你 "學講" 還教你 "怎麼講"，集 "語言"、"知識"、"講話技巧" 和 "禮儀" 於一身，言簡意賅，深入淺出。

4. 對課文進行詳細解釋：
　　一對普通話、粵語在用法及發音上之差異進行對比，
　　一突出廣東學生難發及易發錯之音，
　　　故皆可作自學之用。

　　因此，李莎莉所寫的教材，內容實用，句子簡煉，容易上口，能在最短的時間內助您解決語言溝通的困難。

　　願同道朋友共同攜手揭開新的一頁。

李莎莉普通話叢書

1. 漢語拼音(繁簡體字對照)

    書 HK58.00　　全套一書兩帶 HK128.00

    全書分三部分:
    - 學拼音: 教會您全部聲母、韻母、聲 調及發音規
      則, 並附實用之練習,
    - 寫拼音: 教會您給漢字註音及拼寫規則, 附練習,
    - 深入淺出介紹最基本的語言知識及澄清普通話教
      學中常出現之問題 。

2. 大題小作(繁簡體字對照)

    書 HK48.00　　全套一書一帶 HK98.00

    以順口溜形式, 幽默, 詼諧的手法邊學話邊學做
    人處世。

3. 零售業普通話　　　　　　　　　　　　中華書局

    兩書四帶　HK198.00　　　兩書兩 CD HK280.00

    本書適用於各行各業的售貨員, 學完此書後具
    有用普通話接待顧客之應對能力。

    主要內容有: 招呼語、告別語、感謝與答謝語、
    語言不通、接待顧客、助客挑選、推薦貨品、討價
    還價、付款、示範操作、處理投訴、退換、打電話、
    不同顏色、質料、形狀、花紋、尺碼、皮料之唸法
    等以及五大專櫃會話(服裝、玩具、化妝品、電器、
    金飾)。

    書後還附有顧客服務, 既學話也學禮儀。

4.　普通話入門 888　　　　　　　　　　　　天地圖書

　　　　書 HK58.00　　全套一書兩帶 HK128.00

　　　全書共 888 句, 句子實用、簡煉、易學, 學生
學完此書後能用普通話進行日常會話和辦公室會話
的應對能力。

5.　佛教會話　　　　　　　　　　一書一帶 HK98.00

　　　此書不是經書, 而是去迷信還佛教以正信及深
入淺出地介紹基本佛教知識, 書後附有心經.

　　　中國佛教協會趙樸初會長盛讚此書是學佛學話
的好書, 星雲大師特賜墨寶。

6.　商貿會話　　　　　　　　　　一書一帶 HK98.00

　　　此書適用於從事進出口貿易人仕, 由於作者經
商多年, 對進出口貿易全過程所用之詞彙、用語深
爲了解, 故此書很爲實用。

李莎莉之友

請 指 正 多 聯 繫

如有困難、建議或希望

請電： 2570 8378
傳真： 2887 9451
來信： 英皇道 151 號 16 字 E 座
李莎莉語言中心

. . . .

_____

_____

_____

姓名_____ 性別_____
職業_____ 學歷_____
通訊地址_____

_____

電話_____ 傳真_____

漢語拼音

編著　李莎莉

朗讀　方舟(著名播音員)

出版　李莎莉語言中心

　　　香港英皇道 151 號 16 字 E 座

發行　中華書局(香港)有限公司

　　　香港九龍土瓜灣馬坑涌道 5B 2 樓

承印　友聯橡皮印刷有限公司

國際書號 ISBN 962-257-601-2

　　　　(版權所有　翻印必究)

版次　初版 1997.3